Le choix d'éduquer

Éthique et pédagogie

CHEZ LE MÊME ÉDITEUR

L'ANALYSE SYSTÉMIQUE DE L'ÉDUCATION
Jerry Pocztar

L'ANIMATION PÉDAGOGIQUE AUJOURD'HUI
Raymond Toraille

LE CHOUCHOU ou L'ÉLÈVE PRÉFÉRÉ
Philippe Jubin

LA DÉFINITION DES OBJECTIFS PÉDAGOGIQUES
Bases, composantes et références de ces techniques
Jerry Pocztar

DES BONS ET DES MAUVAIS ÉLÈVES
Pierre Mannoni

DESSIN ET DESSEIN
Pédagogie et contenu des arts plastiques
Joëlle Gonthier

L'ÉCHEC SCOLAIRE N'EST PAS UNE FATALITÉ
CRESAS
(Centre de Recherche de l'Éducation Spécialisée et de l'Adaptation Scolaire)

L'ÉLÈVE TÊTE À CLAQUES
Philippe Jubin

L'ENSEIGNANT EST UNE PERSONNE
Sous la direction de Ada Abraham

GUIDE PRATIQUE D'ORTHOGRAPHE
Jean Vial

HISTOIRE ET ACTUALITÉ DES MÉTHODES PÉDAGOGIQUES
Jean Vial

NAISSANCE D'UNE PÉDAGOGIE INTERACTIVE
CRESAS
(Centre de Recherche de l'Éducation Spécialisée et de l'Adapttion Scolaire)
Coordination : M. Hardy, F. Platone et M. Stamback.

ON N'APPREND PAS TOUT SEUL
Interactions sociales et construction des savoirs
CRESAS
(Centre de Recherche de l'Éducation Spécialisée et de l'Adaptation Scolaire)

L'ORIENTATION SCOLAIRE EN QUESTIONS
G.F.E.N. (Groupe Français d'Éducation Nouvelle)

LA VIOLENCE DANS LA CLASSE
Eric Debarbieux

VIVONS L'ÉCOLE AUTREMENT PAR LA SOPHROLOGIE
Ghylaine Manet

LES VOCATIONS ET L'ÉCOLE
Jean Vial

Catalogue complet sur demande

Collection Pédagogies

Philippe Meirieu

Le choix d'éduquer

Éthique et pédagogie

2e édition
revue et augmentée

ESF éditeur
17, rue Viète - 75017 PARIS

1re édition, février 1991 - 2e édition, octobre 1991
ISBN 2-7101-0866-6

Pédagogies

Collection dirigée par Philippe Meirieu

La collection PÉDAGOGIES propose aux enseignants, formateurs, animateurs, éducateurs et parents, des œuvres de référence associant étroitement la réflexion théorique et le souci de l'instrumentation pratique.

Hommes de recherche et hommes de terrain, les auteurs de ces livres ont, en effet, la conviction que toute technique pédagogique ou didactique doit être référée à un projet d'éducation. Pour eux, l'efficacité dans les apprentissages et l'accession aux savoirs sont profondément liées à l'ensemble de la démarche éducative, et toute éducation passe par l'appropriation d'objets culturels pour laquelle il convient d'inventer sans cesse de nouvelles médiations.

Les ouvrages de cette collection, outils d'intelligibilité de la « chose éducative », donnent aux acteurs de l'éducation les moyens de comprendre les situations auxquelles ils se trouvent confrontés, et d'agir sur elles dans la claire conscience des enjeux. Ils contribuent ainsi à introduire davantage de cohérence dans un domaine où coexistent trop souvent la générosité dans les intentions et l'improvisation dans les pratiques. Ils associent enfin la force de l'argumentation et le plaisir de la lecture.

Car c'est sans doute par l'alliance, sans cesse à renouveler, de l'outil et du sens que l'entreprise éducative devient vraiment créatrice d'humanité.

Dans la même collection

APPRENDRE, OUI MAIS COMMENT ?
Philippe Meirieu

CONSTRUIRE LA FORMATION
Outils pour les enseignants et les formateurs
CEPEC, sous la direction de Pierre Gillet

DÉVELOPPER LA CAPACITÉ D'APPRENDRE
Jean Berbaum

DIDACTIQUE DU FRANÇAIS
De la planification à ses organisateurs cognitifs
François Victor Tochon

L'ÉCOLE MODE D'EMPLOI
Des « méthodes actives » à la pédagogie différenciée
Philippe Meirieu

L'ÉDUCATION, SES IMAGES ET SON PROPOS
Daniel Hameline

ENSEIGNER, SCÉNARIO POUR UN MÉTIER NOUVEAU
Philippe Meirieu

L'ÉVALUATION EN QUESTIONS
Charles Delorme et le CEPEC

L'ÉVALUATION, RÈGLES DU JEU
Des intentions aux outils
Charles Hadji

INNOVER POUR RÉUSSIR
Sous la direction de Charles Hadji

LES MATHÉMATIQUES AU LYCÉE
Clés pour une réussite
Sylviane Gasquet

LES OBJECTIFS PÉDAGOGIQUES
En formation initiale et en formation continue
Daniel Hameline

QUESTIONS DE SAVOIR
Introduction à une méthode de construction autonome des savoirs
Gabrielle Di Lorenzo

A Daniel Hameline,
qui connaît déjà toute
l'histoire et dont les
œuvres m'ont aidé
à trouver le chemin,

A Jacek Rzewuski, qui est
allé jusqu'au bout de
l'histoire et qui a bien
failli ne pas en revenir,

A tous ceux qui, comme eux,
m'ont aidé à ne pas être
trop perdu dans l'histoire.

DU MÊME AUTEUR

Apprendre... oui, mais comment ? ESF éditeur, Paris, 7e édition, 1991, traduit en italien.

Les devoirs à la maison, Syros, l'École des parents, Paris, 1987, traduit en espagnol.

Différencier la pédagogie : des objectifs à l'aide individualisée (sous la direction de), Cahiers pédagogiques[1], Paris, 3e édition, 1990.

Différencier la pédagogie : pourquoi ? comment ? (sous la direction de), C.R.D.P. de Lyon[2], 1986.

Différencier la pédagogie en français et mathématiques au collège (sous la direction de), C.R.D.P. de Lyon[2], 1987.

L'école, mode d'emploi — des « méthodes actives » à la pédagogie différenciée, ESF éditeur, Paris, 6e édition, 1991, traduit en italien.

Enseigner, scénario pour un métier nouveau, ESF éditeur, Paris, 3e édition augmentée d'un guide pour la pratique du conseil méthodologique, 1990.

Itinéraire des pédagogies de groupe — Apprendre en groupe ? 1. Chronique sociale[3], Lyon, 3e éd., 1989, traduit en italien.

Outils pour apprendre en groupe — Apprendre en groupe ? 2. Chronique sociale[3], Lyon, 3e éd., 1989, traduit en italien.

En préparation :

Recueils d'outils pour la pratique du conseil méthodologique.

1. 5, impasse Bon-Secours, 75011 Paris.
2. 47, rue Philippe-de-Lasalle, 69004 Lyon.
3. 7, rue du Plat, 69288 Lyon cedex 02.

Table des matières

Avant-propos : Vers une éthique de l'écriture ? 11
CHAPITRE 1 : Le métier d'éduquer 17
CHAPITRE 2 : Un métier soupçonné 21
CHAPITRE 3 : Une folie nécessaire 25
CHAPITRE 4 : Une candeur calculée 29
CHAPITRE 5 : Le silence du réel 33
CHAPITRE 6 : L'indifférence impossible 37
CHAPITRE 7 : Le piège 41
CHAPITRE 8 : Faire comme si 45
CHAPITRE 9 : Le dépit et la suffisance 49
CHAPITRE 10 : Etre tout ou n'être rien 53
CHAPITRE 11 : Double jeu 59
CHAPITRE 12 : La sanction 65
CHAPITRE 13 : Lutte d'influences 69
CHAPITRE 14 : La modestie de l'universel 73
CHAPITRE 15 : L'exigence du meilleur et l'acceptation du pire 81
CHAPITRE 16 : L'obstination didactique et la tolérance pédagogique 87
CHAPITRE 17 : L'analyse des causes et l'invention des solutions . . . 93
CHAPITRE 18 : La fascination de l'outil 99
CHAPITRE 19 : Du contrat 105
CHAPITRE 20 : De la médiation 111
CHAPITRE 21 : De la parole 117
CHAPITRE 22 : De la culture scolaire 123
CHAPITRE 23 : Du transfert de connaissance 131
CHAPITRE 24 : De la métacognition 137
CHAPITRE 25 : Des valeurs 145
CHAPITRE 26 : Du politique 151
CHAPITRE 27 : Le merveilleux et la médiocrité 159

CHAPITRE 28 : L'obligation de trivialité 163
CHAPITRE 29 : La solitude et l'équipe 169
CHAPITRE 30 : Le paradoxe de la formation 173
CHAPITRE 31 : La preuve et le signe 179
CHAPITRE 32 : Histoires 185
ENVOI : Le moindre geste 191

Bibliographie 193
Index des notes critiques et commentaires 197

Avant-propos :

Vers une éthique de l'écriture ?

Le texte que l'on va lire n'est pas un traité mais bien un « essai » et cela dans toutes les acceptions du terme. C'est dire que l'on n'a pas cherché à y être exhaustif ni, *a fortiori*, à présenter un panorama complet des travaux et recherches sur la difficile question de la place de l'éthique dans l'entreprise éducative. Nous n'avons pas voulu, non plus, entrer frontalement dans les polémiques qui ont agité ou agitent encore l'opinion publique, au gré des emballements médiatiques, sur le port des insignes religieux à l'École ou sur la dégradation de l'autorité des maîtres.

Nous avons voulu, avant tout, « donner à penser » aux éducateurs et, d'abord, pour reconnaître avec eux la place irréductible de l'interrogation éthique dans les pratiques et la réflexion éducatives. Entendons-nous bien : il ne s'agit pas de traiter ici — pas directement tout au moins — de l'éducation morale ou de l'éducation à la morale... dimensions essentielles, certes, mais qui requièrent une autre approche que celle que nous avons adoptée. Il s'agit de chercher à comprendre ce qui se joue dans l'ordre de l'éthique entre un éducateur et un éduqué, quand ils tentent de vivre ensemble, bon gré, mal gré, une aventure éducative.

On aura compris que nous entendons ici par « morale » un ensemble de normes sociales concernant le comportement des individus dans une organisation sociale donnée et régies par un système de valeurs déterminé. En revanche, nous désignons par « éthique » l'interrogation d'un sujet sur la finalité de ses actes. Interrogation qui le place d'emblée devant la question de l'Autre...[1] car l'existence de

---

1. Parler ainsi de l'« Autre », dès les premières lignes de ce texte, apparaîtra, sans doute, un peu abrupt. C'est que le concept a quelque chose d'un peu incantatoire, référant à la fois à Lacan et à la tradition chrétienne, permettant souvent de faire l'économie d'une véritable analyse tout en apparaissant résolument « profond » et « moderne ». On voudra bien, ici, nous faire crédit pendant quelques pages, jusqu'à ce que les contours de cet « Autre » aient le temps de se dégager. En attendant, le lecteur pourra considérer que, quand nous parlons de l'« autre » (avec une minuscule), nous désignons simplement un être humain, un être que nous pouvons traiter en « objet », dresser ou séduire, que nous pouvons considérer comme si ses pensées et ses actes étaient le simple résultat des influences qu'il a reçues. En revanche, quand nous parlons de l'« Autre » (avec une majuscule), nous évoquons une liberté qui se met en jeu, une personne qui ose,

l'Autre, chaque fois que j'agis et au sens propre des mots, « fait question » : est-ce que je le reconnais comme tel, dans sa radicale altérité, ou est-ce que j'en fais l'objet de mes manipulations pour servir à ma satisfaction ? Dans tout ce que je dis, à travers toutes les décisions que je prends, au sein des institutions que je fréquente, est-ce que je permets à l'Autre d'être, face à moi, voire contre moi, un Sujet ? Est-ce que j'accepte, en dépit des difficultés que cela comporte, de l'incertitude devant laquelle cela me place, des inquiétudes qui vont immanquablement surgir à chaque pas, de prendre ce risque ?... Telle est, pour nous, la question éthique fondamentale[2].

Et nous croyons que cette question concerne de façon particulière et originale celui que les Grecs nommaient déjà le « pédagogue » parce qu'il était chargé de conduire les enfants à l'école, de les amener jus-

---

parfois un simple instant, parler enfin pour elle, sans se caler sur ce que lui dictent la pression sociale, la peur du plus fort ou du plus influent, l'inquiétude d'être ou de ne pas être conforme. L'Autre, en ce sens, est un être qui assume son altérité.
C'est pourquoi, l'Autre est quelqu'un qui échappe, un temps, à tout pouvoir et, plus particulièrement, à « mon pouvoir » sur lui ; c'est un être que je ne possède pas, ni en l'enserrant dans mes systèmes d'interprétation, ni en le manipulant grâce à mes réseaux d'influence. L'Autre c'est quelqu'un que je reconnais avant de le connaître, quelqu'un que je salue, avec qui je peux prendre le risque d'une relation où rien ne sera joué d'avance ; l'Autre, en d'autres termes, c'est quelqu'un que je peux, au sens propre du terme, rencontrer.
Le lecteur peut donc considérer ici, pour le moment, que cet Autre est une « utopie ». Mais nous préférerions qu'il y voit une « conviction » et trouve, dans la suite du livre, non point l'argumentation théorique fondatrice du concept mais l'explicitation des situations où l'Autre fait question et des conditions grâce auxquelles l'éducateur peut contribuer à son émergence. C'est sans doute, d'ailleurs, le propre de la démarche éducative que de chercher à « mettre en œuvre » ce que d'autres démarches tentent d'observer ou de fonder. Si sa validité tient donc à la cohérence de sa pensée — qui n'est pas nécessairement « scientifique » au sens expérimentaliste du terme —, sa validation, elle, nous renvoie à notre détermination à faire advenir — ce qui ne veut pas dire à « produire » — ce que l'on annonce.

2. Ainsi entendue, l'éthique a, nous semble-t-il, une primauté de droit sur la morale, même si les morales ont, pour chacun, une antériorité de fait sur l'exigence éthique. De plus, on peut considérer que les normes morales doivent être passées au crible de l'exigence éthique et que l'exigence éthique doit susciter l'invention de règles permettant sa réalisation.
C'est là d'ailleurs la position que défend P. Ricœur dans son dernier ouvrage, *Soi-même comme un autre* (Le Seuil, Paris, 1990, pages 200 et suivantes) : affirmant que seule la convention permet de distinguer morale et éthique, il associe la première à la norme et la seconde à la visée ; il considère alors que, dans ces conditions, il y a bien primauté de l'éthique sur la morale et que, si la visée éthique doit réussir à s'incarner en des règles morales, on doit toujours pouvoir recourir à l'éthique quand la norme morale conduit à des « impasses pratiques ».

qu'aux lieux où apprendre, de guider leurs pas vers la connaissance. Car, comme lui, celui que nous appelons nous-même aujourd'hui le pédagogue a bien une identité professionnelle qui le distingue de tous ceux — médecins ou psychothérapeutes, parents ou amis — qui, à un titre ou à un autre, contribuent au développement de l'enfant et de l'homme. Non qu'il ne puisse partager avec eux les mêmes finalités, mais parce que la poursuite de celles-ci requiert précisément que chacun s'attache au mieux à la spécificité de sa propre activité... Au début de cet ouvrage, nous demandons donc au lecteur de nous faire crédit et d'accepter une définition provisoire du « pédagogue », étant bien entendu que celle-ci ne pourra prendre tout son sens qu'au terme même de notre démarche. Nous appellerons donc ici « pédagogue » un éducateur qui se donne pour fin l'émancipation des personnes qui lui sont confiées, la formation progressive de leur capacité à décider elles-mêmes de leur propre histoire, et qui prétend y parvenir par la médiation d'apprentissages déterminés. Nous considérerons, par ailleurs, que quiconque adhère à un tel projet « entre en pédagogie », quels que soient le statut institutionnel qu'il détient et la position sociale qui est la sienne.

Dans ces conditions, il est clair que toutes les analyses de la relation pédagogique, qu'elles soient descriptives — comme nous en fournissent abondamment la psychologie, la psychanalyse ou la sociologie —, qu'elles soient prescriptives — comme nous en procurent les didactiques, les textes à caractère réglementaire ou les recommandations de journalistes, d'auteurs à succès et d'institutions de toutes sortes —, n'épuisent pas la réalité du phénomène. Il existe, de manière irréductible, quand un être cherche à en instruire un autre, une interrogation qui est sans doute au cœur même de l'éthique, puisqu'elle concerne les conditions de possibilité de l'émergence d'un Sujet, c'est-à-dire de la constitution d'une Liberté[3].

C'est pourquoi, que l'on soit enseignant, formateur ou animateur, aussi informé soit-on dans tous les domaines qui touchent à l'Educa-

3. Bien évidemment, l'éthique n'est pas une question exclusivement éducative puisque, comme le note P. A. Dupuis, « la décision éthique concerne à tout moment chaque homme dans son rapport à lui-même, ainsi qu'à la communauté sociale et politique » (*Eduquer, une longue histoire*, Presses Universitaires de Strasbourg, 1990, page 24). Mais cela ne veut pas dire que l'éthique ne soit pas au cœur de l'éducation dans la mesure où celle-ci ne se réduit pas à un processus d'intégration sociale mais se donne aussi pour fin la recherche des conditions de l'émergence d'une liberté. C'est ce que P.A. Dupuis exprime en soulignant qu'« en elle (l'éthique) s'annonce la possibilité d'un retrait ou d'un supplément de l'éducation par rapport à tout processus de socialisation » (*ibid.*, page 39).

tion — et il est bon, à tous égards, qu'on le soit —, aussi convaincu soit-on de la validité de ses normes sociales et morales — et il est souhaitable, sans aucun doute, qu'on le soit également —, on ne peut faire l'économie de choix éthiques, et cela jusque dans les actes les plus banals de notre vie quotidienne. Et ces choix gagnent, comme tous les choix, à être éclairés par l'intelligence des enjeux. Or ce sont, précisément, ces enjeux que nous nous proposons d'exprimer dans les pages qui suivent... Nous le ferons en empruntant plus particulièrement nos exemples à la pédagogie scolaire. Non que nous sous-estimions l'importance des apprentissages familiaux, de la formation des adultes ou du secteur de l'animation, mais parce que c'est dans notre expérience de l'enseignement qu'il nous était le plus facile de puiser nos exemples sans basculer dans l'exhibition indiscrète. C'est aussi, peut-être, parce que c'est dans ce domaine où l'urgence est la plus grande en raison du tabou qui y affecte ces questions. C'est, enfin, parce que les situations qu'il présente sont, à bien des égards, exemplaires et que l'on n'aura guère de difficulté à les transposer.

Mais, par ailleurs, parce que la question est complexe et ne se laisse pas facilement enfermer dans la linéarité expositive, nous avons tenu à ce que plusieurs lectures de ce texte soient possibles. Ainsi le lecteur pourra-t-il, s'il le désire, tenter de nous suivre pas à pas dans notre démarche. Il ne s'encombrera pas, si cela le gêne, des informations et références que nous avons portées en notes, s'abandonnant en quelque sorte à l'« histoire » avant de refermer le livre pour s'interroger sur sa propre histoire... Peut-être souhaitera-t-il, au contraire, pénétrer l'ouvrage en observant attentivement les auteurs auxquels nous nous référons, en consultant leurs travaux, en interrompant la lecture de ce livre pour se tourner vers les documents que nous citons ? Qu'il sache, là encore, que nous n'avons pas voulu être exhaustif ni chercher à faire un inventaire complet des textes existants sur les questions que nous évoquons. Nous avons simplement choisi nos références, essentiellement parmi les ouvrages publiés récemment, en fonction de la réflexion que ces textes avaient suscitée pour nous et du trajet qu'ils nous avaient fait parcourir. Aussi, si le lecteur se saisit de quelques-uns d'entre eux pour cheminer un moment avec d'autres auteurs, qu'il soit convaincu que nous n'y verrons aucune trahison mais, plutôt, un gage de la réussite de notre entreprise... Peut-être, enfin, préférera-t-il s'attacher, de manière désordonnée, à tel ou tel chapitre dont le titre ou les premiers mots lui seront apparus particulièrement évocateurs ? Nous avons voulu, en effet, que ces chapitres soient courts pour que le lecteur puisse s'en saisir, en prendre possession, les tenir tout entiers en mémoire et construire, en quelque sorte, un autre livre avec le livre, combinant à sa manière les textes qui le composent, comblant les silences et les vides avec ses expériences et ses réflexions personnelles, décrétant l'impasse quand il nous trouve trop bavard ou trop « didactique »[4].

Car c'est bien le moins, en effet, pour un livre qui traite d'éthique — et donc de l'émergence du Sujet — que de permettre l'émergence du lecteur comme sujet dans la lecture du livre lui-même. L'ambition de l'auteur n'est pas, en effet, ici, d'emporter l'adhésion mais bien de faire partager une exigence en offrant la possibilité d'une expérience. Si le lecteur veut bien tenter l'aventure, je peux lui assurer que l'on n'en sort pas tout à fait indemne[5].

---

4. Umberto Eco explique dans *Lector in fabula* (Grasset, Paris, 1985) que « le texte est un tissu d'espaces blancs, d'interstices à remplir, et celui qui l'a émis prévoyait qu'ils seraient remplis et cela pour deux raisons. D'abord parce qu'un texte est un mécanisme paresseux (ou économique) qui vit sur la plus-value de sens qui y est introduite par le destinataire (...). Ensuite parce que, au fur et à mesure qu'il passe de la fonction didactique à la fonction esthétique, un texte veut laisser au lecteur l'initiative interprétative ».
Nous ne sommes pas sûr, pour notre part, d'avoir abandonné dans ce livre toute velléité didactique. Mais cela est-il vraiment possible ? Peut-on ignorer que le texte le plus ouvert, celui qui prétend abandonner tout projet de convaincre et même jusqu'au désir de communiquer, reste un objet qui ferme toujours plus de portes qu'il n'en ouvre ? Un seul mot employé — même porteur d'immenses ambiguïtés — me dit déjà, au moins, que tous les autres mots ne convenaient pas. C'est pourquoi il nous semble que, d'une manière ou d'une autre, parler est toujours une entreprise quelque peu didactique. Et écrire *a fortiori*... Il reste néanmoins que c'est bien la subversion du projet didactique par le lecteur du livre qui engage un « destinataire » à devenir, à travers la lecture, créateur de sens. Chacun sait bien, pour l'avoir maintes fois expérimenté, que la lecture n'est utile qu'au lecteur qui parvient à devenir, en lisant, l'auteur du livre.

5. On aura vu surgir ici le « je » à la place du « nous » utilisé habituellement dans les Essais. C'est que la première personne du singulier m'est apparue plus conforme à la nature de mon propos. Histoire, aussi, d'assumer le risque jusqu'au bout.

1

Le métier d'éduquer

Sait-on jamais pourquoi l'on choisit un métier ? Certes, avec le temps, et pour peu que l'obsession argumentative s'en mêle, on parvient tant bien que mal à se donner des raisons. Le cours des choses nous fournit toujours *a posteriori* les justifications nécessaires et toute tâche, pour celui qui y voit un défi à son intelligence et une épreuve pour sa volonté, livre assez de satisfactions pour permettre de se construire tardivement un projet rétrospectif. On peut alors, fort de notre histoire à rebours, solliciter chez nos enfants ou nos élèves la rationalité d'une analyse de situation, l'inventaire des ressources et des contraintes, l'examen serein des possibles... Tout cela est d'ailleurs, sans aucun doute, fort utile, quoique pas nécessairement pour ce que l'on croit. Il s'y forme, en effet, dans le dialogue, quelques précieuses capacités argumentaires et d'efficaces habiletés démonstratives... puisque chaque partenaire, on le sait bien, s'efforce toujours, dans ce genre de situations, de légitimer des choix dont la raison dernière s'enfonce mystérieusement dans les profondeurs de l'être.

C'est que toute aventure individuelle se travaille en quelque sorte au burin, sur des matériaux dont nous sommes tributaires, quoique leur observation, aussi attentive soit-elle, ne puisse jamais livrer le résultat final du travail du sculpteur. Je suis, en effet, irrémédiablement constitué de cette matière pesante que constituent mon corps, ma famille, ma culture... toute cette histoire qui, aux instants d'utopie adolescente, m'encombre tant et pour laquelle je redécouvre parfois, quand je me laisse aller à quelque nostalgie, une patiente tendresse. Je suis cela d'abord et rien ne se fait en moi ou par moi qui ne se fasse avec cela. Mais, pour autant, ma vie, mes choix personnels ou professionnels ne sont sans doute pas — ou, du moins, dois-je le croire — déductibles de tout cela. Certes, le matériau peut contribuer à préfigurer le résultat, comme la veine, dans le bois ou la pierre, peut suggérer la forme que fera émerger le burin. Mais le sculpteur lui-même ne sait cela qu'après et son geste reste une invention libre, imprévisible, dont le sens n'est accessible que par l'image future à laquelle il donne lentement naissance.

Sans doute faut-il se méfier de la métaphore car chacun sait que le figuratif entrave le concept. Mais notre histoire n'est-elle pas un peu, effectivement, à l'image de la sculpture, totalement matière et péniblement forme ? Complètement constituée d'une réalité dont nous ne sommes pas l'auteur et de laquelle, souvent laborieusement, parfois dans l'éclat d'un coup de sang ou d'un coup de grâce, nous émergeons pour forger ce que nous nommerons plus tard un destin[1].

Et, à vrai dire, j'ai tort de parler ici d'émergence, comme si nous laissions en arrière, à chaque métamorphose, une vieille carapace morte. Nous n'abandonnons jamais rien ; ou, plutôt, rien ne nous abandonne jamais. Nos oublis eux-mêmes, les plus fugaces comme les plus obstinés, nos reniements fortuits comme nos trahisons délibérées, nous façonnent en creux et leur empreinte nous marque du sceau de l'irréversible. Que nous tentions d'en effacer la marque et c'est alors cet effort lui-même qui nous colle à la peau.

Ainsi s'avère-t-il tout à fait impossible d'opposer, comme s'il s'agissait de réalités radicalement étrangères l'une à l'autre, nos fatalités et nos libertés. Car nos libertés — celles que nous tentons de mettre en œuvre dans nos engagements affectifs, professionnels ou politiques — ne pétrissent que nos fatalités — fatalités physiques, familiales, sociales. Irrémédiablement, nous « faisons avec ». Mais l'expression, en dépit de son allure, n'est pas modeste. Car « faire avec » c'est quand même faire. C'est même, en notre situation incarnée, la seule manière de faire quoi que ce soit.

Il faudrait alors, pour comprendre notre histoire, l'histoire de

---

1. Ainsi N. Charbonnel, à partir d'une analyse particulièrement fine du *Wilhlem Meister* de Goethe (*L'impossible pensée de l'éducation*, Delval, Fribourg, Suisse, 1987), en vient-elle à assigner à « la croyance aux dons intellectuels et caractériels innés, c'est-à-dire hérités » (page 249) une fonction centrale dans la pensée de l'éducation. Non en ce qu'elle énonce une vérité mais en ce qu'elle « déguise, déforme une certaine vérité : en l'occurrence le sentiment intime d'une profonde différence individuelle » (page 250). Or nous sommes incapables de penser cette différence en termes interactifs, incapables, en réalité, de penser l'historicité d'un destin constituée tout à la fois de continuité et de ruptures, du donné et de l'acte, des circonstances et de leur dégagement... La croyance en l'innéïté des dons exorcise alors notre peur face à notre unicité et nous rappelle, à notre insu, cette unicité. Peut-être même peut-on y voir un « appel » à cette unicité ou, plus encore, à la construire en prolongeant/dévoyant ce qui nous a constitué ?

chacun de nous, saisir et se saisir de ce qui nous constitue : les aspérités physiologiques, psychologiques et sociales dont nous sommes tributaires mais qui peuvent nous servir de points d'appui dans une aventure qui n'est une « ascension » que par la grâce d'une métaphore, sans doute édifiante — et, par là, quelque peu nécessaire — mais guère adéquate pour décrire le parcours d'une existence toujours plus complexe et sinueuse que les récits qui en rendent compte[2]. Il faudrait, pour comprendre ce qui se trame dans le métier d'éduquer, identifier ce sur quoi il peut prendre appui dans nos dynamiques personnelles, même si cette investigation peut prendre l'allure d'un désagréable exercice de soupçon systématique.

2. Il revient à G. LATREILLE d'avoir inauguré une conception de l'orientation professionnelle qui, échappant à la fois au diktat du psychologue-expert et à l'intuition du client-improvisateur, permette véritablement le choix d'un métier trouvé et créé. Il convient, dans cette perspective, d'aider les sujets à « analyser les situations dans lesquelles ils se trouvent ou vont se trouver, pour saisir les opportunités favorables à leurs projets, en sachant patienter parfois, ou prendre quelques détours, sans pour autant abandonner une lutte actuellement longue et difficile » (*Les chemins de l'orientation professionnelle*, PUL, Lyon, 1984, page 103). Saisir les opportunités en soi et autour de soi sans renoncer à créer de soi quelque chose d'imprévu... voilà une belle définition de l'orientation professionnelle.

2

Un métier soupçonné

Chacun sait bien, depuis que le discours psychanalytique s'est infiltré jusque dans les éditoriaux de la presse régionale, que l'on peut soupçonner, dans toute manifestation de l'humain, les arrière-pensées les plus inavouables. Il n'est pas une activité qui échappe à cette traque et le fait que la traque elle-même puisse être soupçonnée ne nous en préserve pas. Car l'interprétateur peut bien être interprété, comme l'interprétateur de l'interprétateur et cela jusqu'à l'infini... dans ce jeu c'est toujours le plus terroriste qui gagne mais c'est toujours aussi l'interprétation qui l'emporte : le plus terroriste parce qu'il parvient à arrêter l'escalade en se donnant comme légitimité interprétatrice dernière ; l'interprétation parce qu'elle reste le seul discours apparemment tenable, le seul qui échappe à la fois au ridicule et à la naïveté. On peut ainsi, sans guère de difficulté et avec un zeste d'habitude, parler de tout en n'ayant rien à dire : il suffit de parler des autres, non pour tenter d'expliquer ou de comprendre ce qu'ils pensent mais pour décoder ce qu'ils disent et font comme les symptômes d'une vérité qui leur est cachée et à laquelle l'interprétateur accède, lui, tout naturellement et de plain-pied.

C'est ainsi qu'une psychologie bavarde s'étale dans la presse et dans bien des publications qui traitent, de plus ou moins loin, des faits de société. On n'a pas besoin, pour la pratiquer, de connaître ce dont on parle ; il suffit de disposer de quelques « clés de lecture », c'est-à-dire, en réalité, de quelques formules toutes faites où apparaissent les mots « pouvoir », « fantasme », « désir », « régression », « fixation » ; il suffit d'apprendre à dévoyer quelques expressions courantes, à utiliser un petit nombre de métaphores et à ajouter l'adjectif « symbolique » le plus souvent possible dans son discours. On est alors capable de voir dans telle ou telle prise de position « l'expression d'un fantasme de toute-puissance où le déni symbolique du père marque le refus d'assumer la rupture œdipienne »... moyennant quoi on peut faire l'économie de l'analyse de ce qui est dit, se débarrasser d'une interrogation inopportune et récupérer, sinon le pouvoir, du moins le prestige de « celui qui, quand même, ne s'en laisse pas conter ».

Le politique, l'économique, le social, l'éducatif sont ainsi aspirés par le « psychologique » et la culture elle-même semble se réduire à quelques rudiments de psychanalyse et de psychosociologie. Bien évidemment, les professionnels de ces disciplines, ceux qui savent qu'elles ne se réduisent pas à l'énumération sommaire de symptômes et de pathologies et travaillent, dans la complexité et l'inquiétude, à faire reculer la souffrance, crient à l'imposture. En vain. Le discours « psy » persiste sans jamais se poser la question de sa propre légitimité.

On n'a pas assez souligné, en effet, la collusion objective à laquelle nous assistons aujourd'hui entre une vulgate psychologisante — très largement dominante dans les métiers qui, d'une manière ou d'une autre, touchent à la communication — et un certain journalisme qui, ignorant ce dont il parle, n'obtient un peu de crédit que parce qu'il laisse entendre que quelques vagues références aux sciences humaines lui donnent la possibilité de se situer toujours « au second degré ». Dans l'un et l'autre cas, on s'arroge le droit de prendre l'autre pour objet, de décider à sa place des raisons qui inspirent ses faits et gestes. Alors que l'analyste sait qu'il ne peut jamais rien décider à la place d'autrui ni statuer extérieurement sur « ce qui se passe dans l'autre », le « psy » se prétend capable d'expliquer avec une certitude tranquille qu'il sait exactement le pourquoi des choses et ajoute que cela ne prête pas à discussion. On ne peut réfuter son discours car il a lui-même réfuté d'avance toute réfutation. On ne peut le récuser sans qu'il y voit le gage du bien-fondé de sa position. On ne peut s'en inquiéter sans qu'il clame victorieusement que c'est parce qu'il a « touché juste »[1]. Il instaure par là une asymétrie radicale et insupportable que seule la violence peut subvertir : la violence physique ou celle — sans doute d'une plus grande efficacité — d'une interprétation plus puissante encore, parce que plus simplificatrice, plus démagogique ou plus soutenue par les pouvoirs en place. On ne fait rendre raison à celui qui vous dépossède de vous-même qu'en lui supprimant le droit à la parole ou en parlant plus haut que lui.

---

1. La psychanalyse fait partie pour K. POPPER de ces disciplines contestables précisément parce qu'elle tente de se soustraire à toute réfutation. On sait que, pour POPPER, la science ne peut prétendre atteindre des certitudes mais qu'elle procède en émettant des hypothèses, en s'efforçant de les rendre discutables et en procédant à leur critique systématique ; on ne peut jamais, en effet, pour lui, prouver qu'une théorie est vraie, on ne peut que prouver qu'elle est fausse. Faire avancer la recherche scientifique, c'est donc inventer des théories et les offrir à la réfutation (*La logique de la découverte scientifique*, Payot, Paris, 1987). Or la psychanalyse opère à l'inverse en cherchant une légitimation interne et en « récupérant » toute opposition ; ainsi, en combattant la théorie du refoulement, on se démasque, en quelque sorte, comme « quelqu'un qui refoule ce qui lui est désagréable et confirme, par conséquent, ce qu'il voulait précisément infirmer » (F. KREUZER, « préface », K. LORENZ et K. POPPER, *L'avenir est ouvert*, Flammarion, Paris, 1990, page 9).

Tentons cependant — une fois n'est pas coutume — d'entendre l'interprétateur et de ne pas chercher à couvrir sa voix. Histoire de lui montrer non point que nous détenons sa vérité mais que quelque chose est possible dans l'ordre de la communication qui tente d'échapper au délire et à la violence. Que dit-on, en effet, de ceux qui s'adonnent à la pédagogie ? Qu'ils sont, pour la plupart, et surtout s'ils croient quelque peu à ce qu'ils font, des êtres avides de pouvoir, mus par une sorte de fanatisme démiurgique, cherchant à façonner les autres à leur propre image en brisant, s'il le faut, toute résistance. Pis encore : le pédagogue, pour peu qu'il mette un peu d'enthousiasme dans son travail, pourrait même être un dangereux pervers, un maniaque aux prises avec de graves perversions. Et, s'il arrive, par malheur, qu'il soit aimé de ceux dont il a la charge, c'est, de toute évidence, qu'il n'est qu'un démagogue douteux, sans scrupules et peu fréquentable. Qu'il s'investisse dans l'éducation des élèves difficiles ou handicapés et c'est pour mieux assouvir ses instincts dominateurs. Qu'il ose prétendre qu'il peut « en faire quelque chose » et c'est pour culpabiliser délibérément les collègues qui avaient, avant lui, échoué, prendre sa revanche sur ses propres maîtres ou régler ses comptes avec ses parents[2].

Eh bien, aussi scandaleux que cela puisse paraître, je crois que les « maîtres du soupçon » ont peut-être raison. Je crois que l'on ne peut

---

Cette critique me paraît pertinente à condition de noter qu'elle concerne ce que l'on pourrait appeler « le psychanalysme » plutôt que la psychanalyse qui, elle, ne conçoit pas d'interprétation en extériorité totale par rapport au sujet interprété et travaille en permanence sur cette faille ouverte en son sein — qu'elle sait ne pas pouvoir combler — par le fait que l'interprétateur est lui-même et toujours un sujet.
On pourrait d'ailleurs, me semble-t-il, souligner que l'originalité de la psychanalyse tient moins à l'introduction d'un « système d'interprétation » (il en existait bien avant FREUD) qu'à la pratique difficile et toujours risquée du transfert.

2. On trouvera d'assez bons exemples de ces « interprétations » dans l'ouvrage de J. P. BIGEAULT et G. TERRIER, *L'illusion psychanalytique en éducation* (PUF, Paris, 1978) qui montre que « le désir d'enseigner voit se réunir en lui le désir de mise au monde et celui, qui lui semble opposé, le désir de mise à mort » (page 158), ou encore que l'enseignement manifeste un « fantasme de la totalité interrelationnelle retrouvée » (page 159). Dans un autre livre de M. C. BAIETTO, *Le désir d'enseigner* (ESF, Paris, 1982), c'est une analyse des motivations des pédagogues liés au courant de la non-directivité qui est conduite ; on y parle également du « fantasme de gestation, de mise au monde des enfants » (page 96) ou de « dénégation d'un morcellement redouté » (page 143).
Mais plutôt que de multiplier les consultations d'ouvrages et d'articles sur cette question, on pourra, plus efficacement, (re)lire *La leçon* de E. IONESCO (Gallimard, collection « Folio », Paris 1972). Tout y est dit et avec talent. Le système, la parole et le désir de l'enseignant y enferment la relation pédagogique dans une logique de la captation, jusqu'à la vampirisation et au meurtre. Tout commence par la répétition absurde, puis, avec l'irruption de la parole souterraine, vient le désir de s'approprier l'autre et de le supprimer quand il résiste.

pas enseigner innocemment et que le choix d'un métier d'éducation recèle vraisemblablement quelques raisons assez peu avouables, s'inscrit dans une histoire personnelle où les arrière-pensées et les obscures vengeances sont bien plus nombreuses que l'on ne veut bien l'avouer[3]. Je le crois et pourtant j'exerce et je défends ce métier depuis plus de vingt ans. Je le crois et pourtant j'observe avec amusement que nos détracteurs sont parfois bien heureux de trouver des êtres assez névrosés pour s'intéresser à leur progéniture. Je le crois même si je suis un peu agacé par le fait que le métier d'éducateur n'est pas le seul questionnable alors qu'il est le plus questionné.

J'assume le soupçon. Dans le cas d'espèce je le crois même salutaire. Il nous rappelle que les éducateurs sont des êtres de chair et de sang, des êtres qui ont un passé, une histoire où s'enracine leur projet professionnel. Il nous rappelle aussi que l'éthique n'est pas donnée d'emblée, qu'elle n'est pas délivrée avec les diplômes, qu'elle est une exigence difficile jamais définitivement conquise. J'assume, enfin, parce que cette folie, dont on nous fait procès, il n'est pas sûr qu'elle ne nous soit pas éminemment nécessaire[4].

---

3. F. Imbert, dans un ouvrage où il s'efforce d'entendre ce que des élèves ont à dire de leur école (*Si tu pouvais changer l'école*, Le Centurion, Paris, 1983) relève même que « ce rêve d'une formation totalitaire que la clinique nous montre au travail chez tout formateur, trouve aujourd'hui l'époque de sa réalisation collective » (page 54). Mais cette réalisation a abandonné, explique-t-il après M. Foucault, la coercition ouverte et la violence sur les corps. L'institution « adapte sa violence, la miniaturise, afin que les gens puissent l'intérioriser en douceur » (*ibid.*).

4. Michel Soetard montre très bien, dans son analyse de l'œuvre du pédagogue allemand Friedrich Frobel (*Friedrich Fröbel, pédagogie et vie*, Armand Colin, Paris, 1990) à quel point « dans son cas particulier, le désir d'éduquer s'enracine dans l'expérience de sa jeunesse malheureuse : il s'agira de refaire, en et par l'enfant, le chemin qu'il n'a pu parcourir au sein d'une famille harmonieuse. L'œuvre d'éducation restera pour lui une façon permanente de soigner, sinon de guérir, la blessure originelle de son existence » (page 23). Fröbel se débattra ainsi, comme l'explique M. Soetard, dans de difficiles contradictions : toujours menacé de basculer dans des épanchements faussements généreux, il saura trouver dans cette « blessure précoce » (page 166) le véritable désir d'éduquer, celui qui ne s'apitoie pas sur des images sulpiciennes de l'enfance malheureuse mais sait anticiper dans chaque enfant un être capable, selon, les propres mots de Fröbel, « d'embrasser le savoir tout entier ». Son expérience lui aura révélé, en creux en quelque sorte, la nature même du projet d'éducation ; elle lui aura permis de se forger une ambition, d'élaborer des systèmes et de construire des institutions... sans le dispenser pour autant de cet effort permanent qu'il devra faire pour accéder à « l'essentiel », « en deça de toute compréhension intellectuelle, là où une volonté accepte, sans raison, de laisser vivre et de faire vivre une autre volonté » (page 160)... Ainsi, sans doute, toute entreprise éducative est-elle liée à une « sombre histoire », histoire qu'il faut, tout à la fois, assumer (voir, à ce sujet, les chapitres 3 à 6) et dépasser (voir le chapitre 8, « Faire comme si »).

3

Une folie nécessaire

Que l'éducateur ait un problème avec le pouvoir est donc aujourd'hui un secret de polichinelle. Que cela s'enracine dans son histoire personnelle ne fait plus mystère pour quiconque. Qu'il faille s'en réjouir et non l'en blâmer : telle est, pour moi, une conviction essentielle. Car si l'éducateur ne voulait pas exercer de pouvoir il vaudrait mieux, après tout, qu'il change de métier.

Regardons autour de nous : on ne trouvera, sans doute, aucun parent pour exiger que ceux dont il attend qu'ils apprennent à lire ou enseignent les mathématiques à ses enfants renoncent à exercer la moindre influence sur eux. C'est pourquoi, à travers les interventions des familles, les plus soumises comme les plus agressives, dans l'entretien individuel ou la prise de parole officielle en conseil de classe, dans les invectives consuméristes de celui qui réclame son dû aussi bien que dans le silence prudent de celui qui craint que son enfant ne fasse les frais d'une parole maladroite, dans les bafouillages hésitants d'un « mais pourtant » qui n'ose pas finir ses phrases, on peut toujours entendre, plus ou moins, la même chose : « il reste bien, quand même, quelque chose à faire... », « on devrait pouvoir parvenir à le faire progresser... », « il y a certainement un moyen que l'on n'a pas encore essayé... ». En d'autres termes, les parents, les enseignants eux-mêmes quand il s'agit de leurs propres enfants, demandent toujours que les éducateurs croient un peu plus, un peu plus fort, à l'éducabilité de ceux qui leur sont confiés et qu'ils s'efforcent d'inventer les moyens susceptibles de permettre la réalisation de cette conviction.

Car chacun sent bien qu'il s'agit là d'une postulation fondatrice de la possibilité même d'éduquer, et cela simplement d'abord du point de vue logique. Sans cette postulation, l'entreprise serait totalement dérisoire, complètement vaine et, plus radicalement, impossible.

Mais la difficulté vient du fait que la postulation de l'éducabilité de l'autre ne s'accompagne pas nécessairement, chez celui qui la proclame, de la conviction de sa responsabilité éducative. On n'affirme en effet, le plus souvent, qu'un sujet est éducable que pour charger un autre que soi de la besogne : le parent, convaincu de l'éducabilité de son enfant, exigera que l'enseignant fasse le travail ; ce dernier, pour peu que la chose s'avère compliquée, prolongera l'exigence parentale tout en s'en déchargeant sur des collègues spécialisés dans les publics difficiles... qui, eux-mêmes, risquent de passer le relais au psychothérapeute... qui, logiquement, conclura ne pas pouvoir se substituer systématiquement aux parents ni être capable de panser toujours et partout les blessures d'une société défaillante. Et chacun a, sans doute, d'un certain point de vue, bien raison d'agir ainsi... sauf que l'enfant reste au bord du chemin et risque de ne pas survivre longtemps à la logique implacable des adultes.

Car le principe d'éducabilité se délite complètement si chaque éducateur n'est pas convaincu, non seulement que le sujet peut réussir ce qu'il lui propose, mais encore qu'il est capable, lui et lui seul, de contribuer à ce que le sujet y parvienne. En d'autres termes, le principe d'éducabilité s'anéantit s'il n'est pas totalement et complètement investi par un éducateur qui, face à un être concret, croit, à la fois et indissolublement, que celui-ci réussira à faire ce qu'il a pour mission de lui apprendre, qu'il détient un pouvoir suffisant pour permettre cette réussite et qu'il doit faire comme s'il était le seul à le détenir. Que ce pouvoir soit partagé le moins du monde et il vole alors en éclats, disparaît dans un jeu de préséances dérisoires qui condamne irrémédiablement le sujet à la désespérance : « Tu peux, peut-être, réussir, mais pas avec moi. Va voir ailleurs si un autre ne saurait pas, par hasard, mieux faire que moi. Ce n'est plus moi, maintenant, qui suis responsable de toi et je n'ai, néanmoins, aucune certitude que celui à qui je te confie ne tiendra pas le même raisonnement que moi. »

Face à l'éducabilité d'un sujet je suis toujours seul et je dois me penser tout-puissant ou alors je ne suis rien et l'éducabilité non plus[1].

Je sais bien pourtant tout ce que ma position peut avoir de révoltant, combien elle contredit le sens commun et s'oppose à l'expérience

---

1. Je ne dirai jamais assez ma dette, sur ce point, aux enfants de Barbiana et à leur *Lettre à une maîtresse d'école* (Mercure de France, Paris, 1968). La lecture de cet ouvrage fut, pour moi, un événement majeur, sans doute parce que les propos qui y étaient tenus venaient à point dans ma propre histoire et me livraient, dans une radicalité absolue, le principe d'éducabilité : « On ne permet pas au tourneur de remettre que les pièces qui sont réussies. Autrement, il ne ferait plus rien pour qu'elles le soient toutes. Vous, par contre, vous savez que vous pouvez écarter les pièces quand ça vous

quotidienne. Mais je sais aussi — et chacun peut observer autour de soi — le prix payé pour la démission éducative, payé en occasions perdues, en résignation à l'échec, en espérances déçues, en vies gâchées peut-être. Je sais surtout que le postulat d'éducabilité et la conviction de mon pouvoir sur celle-ci est une exigence irréductible que ruinerait la plus petite réserve. Il me suffit de dire : « autrui est éducable mais pas par moi et pas maintenant », ou bien : « tous les élèves peuvent réussir sauf précisément celui-là » pour saper totalement l'édifice et me condamner à l'arbitraire, c'est-à-dire à l'insignifiance[2].

Car comment placer la limite entre le modifiable et l'irrémédiable et où mettre la frontière au-delà de laquelle nous renonçons à agir ? Nous savons ce que nous avons fait mais nous ne pouvons décider *a priori* et *in abstracto* ni de ce que nous ferons ni de ce que nous ne pourrons faire. On ne peut verrouiller ainsi le futur ; on peut, tout au plus, s'interdire à l'avance d'y agir, ligoter son imagination et geler toute activité nouvelle. Mais arbitrairement toujours... Puisqu'on n'est pas allé dans le futur, qu'on ignore, par définition, ce qui y sera possible et que c'est bien une décision arbitraire, la plus répandue mais

---

dit. C'est pour cela que vous vous contentez de regarder faire ceux qui réussissent pour des raisons qui n'ont rien à voir avec votre enseignement » (page 167).
Que des enfants, exclus de l'école, ayant subi l'échec et l'humiliation, interpellent ainsi leurs enseignants ne pouvait me laisser indifférent... même si quelques esprits soupçonneux mettaient en doute l'authenticité de l'écrit et considéraient Don Lorenzo Milani — qui s'en est toujours défendu — comme le véritable auteur de l'ouvrage. Mais peu importe, après tout ; sans doute tenaillé par le projet d'être « efficace » dans mon action éducative, peut-être travaillé par une volonté de pouvoir et le désir de prendre ma revanche sur mes propres éducateurs, j'avais trouvé de quoi nourrir ma détermination. La position n'était pas exempte de quelques impuretés... mais celle de mes adversaires « fatalistes » non plus, d'ailleurs.

2. De telles constatations sont aujourd'hui confirmées par les résultats des recherches en psychologie sociale. J. M. MONTEIL explique, en effet, que cette discipline « ne peut, à elle seule, fixer les limites d'un domaine d'intervention, ni prescrire une manière d'intervenir », mais qu'elle peut « montrer dans quelles conditions et pourquoi on doit s'attendre à telle ou telle production d'effets » (*Eduquer et former*, PUG, Grenoble, 1989, page 198). Or la psychologie sociale met en relief ce qu'elle nomme — selon l'expression forgée par le psychologue américain ROSS — l'« erreur fondamentale » et qui consiste « à surestimer la causalité interne », c'est-à-dire « à exagérer le poids des explications dispositionnelles et à minimiser celui des explications situationnelles dans le comportement de quelqu'un » (page 48). Pour l'enseignant, cela va se concrétiser par l'imputation d'un échec à la « personnalité » de l'élève et le refus de prendre en compte la responsabilité des interventions et situations éducatives. Se produit ainsi un renforcement de fait des inégalités situationnelles extérieures à l'école qui vient légitimer *a posteriori*, mais très confortablement, l'option initiale.

néanmoins la plus scandaleuse, que de réduire le futur à une duplication du passé[3].

Croire et annoncer que l'on ne pourra jamais peser sur le destin d'autrui, faciliter ses apprentissages, son insertion sociale, son accession à des valeurs, c'est bien, en définitive, avoir la prétention suprême, celle d'oblitérer l'avenir de quelqu'un parce qu'on désespère de son évolution, parce qu'on décrète que toute action est désormais impossible ou inutile. C'est se placer du point de vue de la divinité capable d'embrasser d'un seul coup d'œil le passé, le présent et l'avenir, capable de trancher — et il faut, ici, prendre le terme dans sa terrible polysémie — du destin d'autrui. Le désir d'exercer du pouvoir sur les êtres et sur les choses est paradoxalement plus modeste que la prétention péremptoire à interdire son exercice. Plus modeste mais pas, pour autant, plus innocent.

3. C'est un des mérites de R. COHEN, dans son *Plaidoyer pour les apprentissages précoces* (PUF, Paris, 1982) que d'avoir vigoureusement souligné les méfaits d'une position attentiste ou fataliste en pédagogie et d'avoir ainsi contribué à stimuler la recherche des conditions didactiques du développement de l'enfant : « Ne décidons pas à l'avance les limites de ses capacités, ses sources d'intérêt, ses besoins et ne fixons pas *a priori* son cheminement, mais procurons-lui l'environnement et les exercices nécessaires à ses expériences multiples et à son développement » (page 306).
Le fait que les thèses sur les apprentissages précoces aient été mobilisées aussi dans la perspective d'un enseignement sélectif, voire élitiste (comme c'est le cas, me semble-t-il, dans l'ouvrage de J. C. TERRASSIER, *Les enfants surdoués*, ESF, Paris, 1989), ne doit pas permettre de les récuser quand elles se veulent au service d'une meilleure réussite de tous et permettent l'organisation de dispositifs scolaires susceptibles de compenser l'inégalité des stimulations de l'environnement.

4

Une candeur calculée

Pour celui qui l'observe de loin, avec inattention, le pédagogue, fort de son postulat d'éducabilité radicale, n'apparaît pas d'abord comme un dangereux démiurge mais, bien plutôt, comme un incurable naïf. Comment peut-il ne pas voir que tout dément sa conviction ? Que les inégalités intellectuelles et physiques — prudemment rebaptisées « différences » — sont massives et déterminantes ? Que, visiblement, tout le monde n'est pas capable de tout et qu'il vaut mieux, à tout prendre, qu'il en soit ainsi ? Qu'une Ecole et une société où tout le monde réussirait poseraient des problèmes beaucoup plus graves que n'en pose, aujourd'hui, l'« échec scolaire » ?

Mais le pédagogue est bien conscient de tout cela et, si sa conviction est authentique, sa candeur, elle, est délibérément calculée. Il feint de croire à l'évidence facile de sa position et se montre surpris de l'étonnement qu'elle suscite. Mais il mesure bien, en réalité, le caractère étrange de ce qu'il affirme... Il sait, en effet, que l'affirmation de l'éducabilité de tous les hommes n'est en rien une banale constatation, mais bien une pure et simple provocation, une provocation à penser, à imaginer, à agir, à exercer sa liberté. Il sait que ce n'est pas une thèse vraie mais bien une thèse à vérifier, qu'il ne s'agit pas d'un état des lieux mais plutôt d'un horizon sur lequel fixer les yeux, un horizon qui, comme toujours l'horizon, recule au fur et à mesure que l'on avance.

En réalité, sa croyance dans le fait que tout « petit d'homme » porte en lui, virtuellement, l'humanité tout entière en puissance et peut s'approprier tout ce qu'elle a élaboré pour se comprendre et comprendre le monde, donne sens au projet même de faire advenir l'humain. Ou bien, en effet, nous ne sommes qu'une espèce parmi d'autres et la hiérarchisation progressive des natures et des statuts est alors notre lot inéluctable. Ou bien nous voulons exister autrement, nous donner des valeurs garantissant le respect de nos existences réciproques, des langages pour nous comprendre, des outils pour agir ensemble, et nous sommes alors appelés au partage. Non point, bien sûr, un partage qui diviserait nos biens et les répartirait à la naissance ou au mérite. Mais le partage dont tout éducateur peut faire chaque jour l'expérience et au terme duquel nous ne possédons vraiment que ce que nous donnons. Car si la pratique de l'enseignement livre quelque certitude, c'est bien celle-là : rien de ce qui est gardé pour soi n'est jamais véritablement intégré à mon humanité... Si je donne de l'argent, je ne l'ai plus, mais si je donne du savoir, de la joie, de l'espérance, je deviens alors plus riche de tout ce que j'ai donné.

L'humain, pour l'homme, n'est donc que ce qui s'échange patiemment de l'humanité difficilement acquise tout au long de son histoire. Ce n'est que ce qui circule de l'un à l'autre et par quoi l'homme se reconnaît plus intelligent, plus lucide, plus capable de se comprendre, de comprendre le monde et ses semblables. L'humain, c'est ce qui constitue l'humanité comme autre chose que comme une collection d'individus.

Or éduquer c'est, précisément, promouvoir l'humain et construire l'humanité... et cela dans les deux sens du terme, indissociablement : l'humanité en chacun de nous comme accession à ce que l'homme a élaboré de plus humain et l'humanité entre nous tous comme communauté où se partage l'ensemble de ce qui nous rend plus humain. C'est pourquoi décider — ou même seulement accepter — de priver délibérément, ne serait-ce qu'un seul individu de la possibilité d'accéder aux formes les plus élevées du langage technique et artistique, à l'émotion poétique, à l'intelligence des modèles scientifiques, aux enjeux de notre histoire et aux grands systèmes philosophiques, c'est l'exclure du cercle de l'humanité, c'est s'exclure soi-même de ce cercle. C'est, en réalité, briser le cercle lui-même et compromettre la promotion de l'humain[1].

---

1. J. RANCIERE analyse dans *Le maître ignorant* (Fayard, Paris, 1987) la formidable aventure de JACOTOT, cet homme étonnant, demi-solde de l'armée napoléonienne qui, en 1818, fut chargé d'enseigner la littérature française à l'Université de Louvain, ignorant presque tout de ladite littérature et incapable de prononcer un mot dans la langue que parlaient ses étudiants. Il réussit cependant avec éclat et en conclut que l'ignorance était une vertu essentielle pour l'éducateur puisqu'elle lui interdisait l'« explication abrutissante » et l'amenait à contraindre l'autre à faire usage de sa propre intelligence, ce qui institue l'égalité entre les hommes... « Il est vrai, dit J. RANCIERE interprétant JACOTOT, que nous ne savons pas que tous les hommes soient égaux. Nous disons qu'ils le sont peut-être. C'est notre opinion et nous tâchons, avec ceux qui le croient comme nous, de la vérifier. Mais nous disons que ce « peut-être » est cela même par quoi une société d'hommes est possible » (page 124).
Sur ce point, le propos de JACOTOT me paraît indépassable. Sur la question de l'efficience de l'ignorance, la chose est plus discutable et je m'en suis expliqué dans *Enseigner, scénario pour un métier nouveau* (ESF, Paris, 3e édition, 1990, pages 102 et suivantes).

Mais le « cercle de l'homme » n'est pas dans l'ordre des choses et la plénitude de l'humain n'est sans doute pas de ce monde. Elle est, dans l'acception la plus forte du terme, le « sens » de notre existence, la vection centrale de notre histoire quand elle échappe — et nous savons aujourd'hui que rien n'est, sur ce plan, garanti — à la violence et à la barbarie. C'est pourquoi notre devoir impérieux est de travailler à la promotion de l'humain, conscients qu'il n'adviendra pas — pas complètement du moins — mais que sa quête est la seule chose qui vaille la peine de vivre. C'est que, éternitaire par définition, l'humain est bien du domaine du fabuleux, même si nous en ressentons l'impérieuse nécessité, même s'il nous apparaît si proche que nous croyons parfois qu'un simple geste nous permettrait d'y accéder. Il n'adviendra probablement jamais *hic et nunc*, ne se réalisera pas sous nos yeux un beau jour, transformant définitivement le vieux monde selon nos vœux. Il n'y aura pas de grand soir de l'homme achevé... tout juste pouvons-nous attendre quelques instants de tangence, quand le cercle de l'humain frôle la médiocrité de notre quotidien et que des êtres se reconnaissent dans l'échange, miraculeusement, hommes ensemble.

Il faut donc une bonne dose de candeur pour voir dans le principe d'éducabilité une règle d'action pour l'activité pédagogique quotidienne. Il faut, en réalité, vouloir faire advenir ce qui apparaît à la fois éminemment nécessaire et résolument inaccessible. Il faut viser le partage total des savoirs entre les hommes sans espérer que la réussite survienne et sans, pour autant, abandonner la moindre parcelle de détermination. Plus encore, il faut affirmer que l'on va y parvenir en se sachant condamné à l'échec, au moins partiellement. Il faut même se battre jusqu'à la limite de ses forces pour prouver que ce que nous savons impossible est quand même possible. Plus exactement mais non moins difficilement, il nous faut prouver que l'acte est possible même quand le résultat est impossible.

On voit que la candeur n'est pas la mauvaise foi, ni la tromperie, ni même la simple confusion de la fable et du fait. Elle est une garantie fondamentale contre la fuite facile dans l'ineffable : car, à situer le projet éducatif délibérément au-delà des phénomènes, tout à fait en dehors ou à côté de la logique des systèmes scolaire et social, on prend le risque de se payer de mots, voire de camoufler habilement les échecs de notre pratique didactique, dont les enjeux sont présentés comme dérisoires au regard d'une ambition métaphysique. Le danger majeur de toute entreprise humaine est, en effet, que l'importance de ses fins discrédite ses résultats. Or nous ne pouvons pas renoncer à nos fins, ni laisser croire — en une imposture bien pensante — qu'elles sont accessibles. Mais nous ne devons pas, non plus, décourager l'action au nom de la perfection du projet ni même, *a fortiori*, donner des arguments à la désespérance.

Le calcul consiste alors à faire obstinément comme si les choses étaient historiquement et durablement réalisables alors que l'on sait qu'elles ne sont qu'exceptionnellement et fugacement possibles. Car « faire comme si » — et j'y reviendrai plus loin — est, sans doute, le seul moyen pour accéder à quelques instants d'humanité partagée, susceptibles de justifier à eux seuls la ténacité et l'inventivité quotidienne. « Faire comme si » est donc une attitude éminemment nécessaire et à laquelle nous engagent, à leur insu, les tenants du « réalisme social » eux-mêmes. Car, en croyant nous démobiliser par l'exhibition des contraintes et l'obligation de résultats, ils nous forcent à être, plus authentiquement et avec plus de détermination encore, « faiseurs de sens ». Même s'ils ne le savent pas, ils nous aident à ne pas nous laisser endormir par les bons sentiments, les principes généraux et généreux qui remettent toujours à plus tard le passage à l'acte. Cela suscite notre vigilance active, nous interdit d'excuser la médiocrité de nos résultats au nom de l'ambition de notre projet. Cela maintient en nous une sorte d'hygiène morale particulièrement précieuse. Mais cela fait infiniment plus encore... tant il est vrai que le réel n'existe pas en dehors du regard que l'on porte sur lui.

5

Le silence du réel

La tentation est grande, pour celui qui croit en l'éducabilité des hommes, de tenter d'en convaincre autrui en s'appuyant sur ce qui, dans le registre scientifique, lui apparaît susceptible de légitimer sa conviction. Parce que l'on perçoit mal le statut épistémologique de l'affirmation de l'éducabilité et que l'on a le souci naturel de la faire partager, on croit pouvoir tirer son crédit et sa force de conviction d'argumentaires qui, dans les domaines de la génétique, de la neurobiologie, de la psychanalyse ou de la sociologie, avancent le caractère décisif de l'influence du milieu et l'égalité des potentialités initiales entre tous les hommes. Il y a là, croit-on, un moyen de faire vaciller les opinions les plus fatalistes et d'acquérir à la conviction de l'éducabilité les esprits les plus résistants.

Or ces arguments, s'ils ont le pouvoir évident de renforcer des points de vue déjà établis, s'avèrent particulièrement inefficaces pour en faire changer quiconque. Ceux sur qui ils devraient avoir du poids les récusent dès lors qu'ils contredisent leurs opinions ; ils leur opposent même des arguments inverses, au caractère scientifique tout aussi établi semble-t-il, et qu'ils n'ont aucun mal à aller puiser dans l'immense réservoir constitué depuis plusieurs siècles par l'inépuisable débat sur l'inné et l'acquis. Là gisent assez d'exemples et de contre-exemples, de vrais et de faux jumeaux, de milliards de neurones et de synapses, de statistiques inattaquables et d'exceptions notables pour alimenter tout aussi bien de subtiles conversations mondaines que de violents débats institutionnels :
« Mais tout le monde n'est quand même pas capable de tout...
— Qu'en savez-vous, cher ami, puisque le cas de X. semble précisément démentir toute prévision ?
— Nous avons là, mon cher, une situation atypique ; et un diagnostic abusivement pessimiste, démenti par une guérison, ne peut pas laisser supposer que tous les malades sont immortels !
— Mais il montre au moins que le donné n'est pas indépassable...

— Et que savez-vous du donné ? »

On imagine aisément la suite du débat ainsi que toutes les variations auxquelles on peut s'adonner sur ces thèmes, des affirmations les plus sommaires aux démonstrations les plus affinées. On voit bien également qu'il est tout aussi difficile d'échapper à l'alternative que de trancher dans un conflit où rien n'est véritablement « déterminant en dernière instance ».

Peut-être, toutefois, peut-on espérer que, en face d'un cas concret, d'un individu précis affronté à un apprentissage déterminé, les choses soient plus simples ? Mais cela est loin d'être le cas : qu'il s'agisse d'un enfant à qui l'on doit apprendre à lire, d'un adulte qu'il faut adapter à un nouveau poste de travail ou d'une personne âgée que l'on veut faire accéder à la création artistique, rien, jamais, dans la considération du « réel » ne permet de trancher *a priori* de la faisabilité du projet. C'est, au contraire, l'option prise sur cette faisabilité qui permet d'accéder à une « connaissance » de la personne, et cette connaissance représente toujours une sélection implicite ou explicite des informations qu'elle nous livre. Car je ne peux jamais, en dépit de ce que je dis ou crois, saisir tout le réel ; l'histoire d'un sujet est trop complexe, comprend trop de dimensions, fait appel à trop de circonstances pour que je puisse l'interpréter sans l'appauvrir. Les seules réactions d'un sujet dans une situation d'apprentissage, même très précise et très localisée, sont trop multiples et détaillables à l'infini, pour que je puisse espérer en faire une « analyse objective ». Chaque fois que je regarde, je choisis, et chaque fois que je choisis, je décide plus ou moins de l'éducabilité de la personne que je regarde.

En réalité, si je crois le projet possible, je cherche dans le « réel » des points d'appui pour mon action... et, puisque le « réel » est un immense réservoir de faits — à vrai dire un réservoir inépuisable —, je finis toujours par en trouver. Si je suis convaincu que le sujet peut être formé, je peux toujours découvrir quelque réussite antérieure sur laquelle m'appuyer, quelque indice, même ténu, pour alimenter ma conviction. En revanche, si j'ai décidé que le projet est irréalisable, je cherche les résistances qui peuvent me servir d'excuses et j'y parviens, de la même manière, à coup sûr.

Le principe d'éducabilité ne peut donc être déduit de la considération du « réel » puisque c'est la position que je prends par rapport à ce principe qui me permet d'accéder à ce que je crois être le réel. C'est elle qui m'amène à traiter « les faits » en termes de conditions de possibilité ou d'impossibilité par rapport à mon propre projet... Je ne connais l'enfant ou l'adulte que je suis chargé d'éduquer qu'en tant que je décide de le faire évoluer ou de le figer dans l'être-là, qu'en tant que je le saisis comme sujet d'une éducation possible ou que je l'enferme dans une nature que je le condamne à reproduire. Pour tout dire, en éducation, je ne connais jamais le réel, je le cherche ; ou, mieux encore, je cherche dans le réel les signes, les indices, les points d'appui, tout ce qui me permet d'articuler, même très modestement, mon projet éducatif à ce que je découvre de ceux qui me sont confiés. Et c'est bien les réussites ou les résistances découvertes dans mon action — donc qui supposent que j'aie antérieurement décidé d'agir d'une manière ou d'une autre — qui m'ouvrent de nouveaux domaines de connaissance et renouvellent mon champ du possible. Comment savoir ce que peut faire tel ou tel avant d'avoir essayé de le faire avec lui ? Comment savoir qu'il n'existe pas une autre manière de le lui apprendre, qui réussirait là où j'ai échoué, avant de les avoir toutes essayées ? Comment savoir que je les ai toutes trouvées et qu'il n'en reste pas une qui a encore échappé à mon inventivité ? Comment le savoir puisque la caractéristique de l'inventivité est précisément l'imprévisibilité[1] ?

En d'autres termes, il n'y a rien de ce que dit le maître, l'éducateur ou le formateur, aucune observation, aucune constatation, aucune évaluation qui ne soit aussi une « prise de parti » sur l'éducabilité du sujet considéré, qui ne soit ce que l'on pourrait nommer — en acceptant l'ambiguïté du terme — une « prise éducative ». Elle témoigne ainsi d'une détermination antérieure, en quelque sorte, à toute observation, *a priori* dirait, peut-être, le philosophe. En ce sens, il n'y a rien de ce que j'obtiens de l'autre, de ses progrès, de ses acquisitions, de ses potentialités nouvelles ainsi découvertes, qui, dans le même temps où cela me renvoie à mes convictions à son égard, ne me permette de faire connaissance avec lui, un peu mieux et un peu plus. En lui-même le réel ne me dit rien sur la possibilité de le transformer ; c'est moi qui le sollicite ou, plus exactement, qui m'en saisis dans le mouvement même où

---

1. C'est, pour moi, l'un des principaux intérêts de la pédagogie différenciée, telle que j'ai pu la présenter (en particulier dans *L'école, mode d'emploi*, ESF éditeur, Paris, 5e édition, 1990, pages 123 à 127) que d'aider à la « connaissance pédagogique » de l'élève par l'observation de ses réactions et de ses résultats aux propositions méthodologiques qui lui sont faites. En ce sens, elle représente une « rupture épistémologique » décisive par rapport à la « pédagogie psychologisante » qui a longtemps dominé et qui supposait que les propositions pédagogiques devaient être déduites des observations à caractère psychologique : dans la pédagogie différenciée, on ne cherche pas à proposer des méthodes aux élèves pour autant qu'on les connaît, mais on parvient à les connaître pour autant qu'on leur propose des méthodes et qu'on travaille avec eux à l'observation de leurs résultats (voir aussi, sur ce sujet, le chapitre 17 : « L'analyse des causes et l'invention des solutions »).

j'exprime sur lui et avec lui mon projet. L'éducabilité n'est déductible d'aucune connaissance préalable sur les personnes puisqu'elle est précisément à la source de toute connaissance sur ces personnes. Elle est un domaine où le droit conditionne irrémédiablement le fait, même si cela défie, à bien des égards, le bon sens. Mais on sait que le bon sens est trop souvent l'allié du « désordre établi ».

6

L'indifférence impossible

En dépit des apparences, le véritable naïf n'est pas celui qui croit en l'éducabilité absolue d'autrui mais bien plutôt celui qui est convaincu que ses convictions dans ce domaine n'ont aucune influence sur les performances de l'éduqué. Pour lui, en effet, le sujet existe indépendamment du faisceau de relations dans lequel il est inséré ; il constitue une sorte d'entité ne trouvant qu'en elle-même ses raisons d'être et d'agir ; il est doté d'un libre arbitre se développant à l'abri des regards selon une dynamique personnelle sur laquelle le seul pouvoir possible est celui de l'exhortation.

Concrètement, le maître fait appel alors, souvent banalement, parfois solennellement, à l'attention de l'élève, à son sens de l'effort, à sa responsabilité individuelle. Il refuse, dit-il, de se substituer à lui et prétend simplement lui faire des propositions et éclairer ses choix : « Voici ce qu'il en est. Vous savez ce que vous risquez et ce que vous pouvez gagner. Maintenant, je ne peux agir à votre place ni décider pour vous. Sachez que rien n'est joué et que tout dépend de vous. Pour ma part, je ne peux plus rien. J'ai fait mon devoir et mon possible. Je ne présage pas du résultat. Que chacun agisse en connaissance de cause. J'en tirerai les conclusions. »

Mais rien n'est plus ambigu que cette apparente clarification des choses qui semble s'inspirer du respect d'autrui et se paye même le luxe de paraître susciter l'émergence de sa liberté. La neutralité qu'elle affiche est toujours un leurre et l'indifférence à la réponse, annoncée avec insistance, demeure une imposture que ne peut camoufler longtemps un égalitarisme de façade.

Car il n'y a pas de demande qui ne conditionne, de quelque manière, la réponse qu'elle obtient : on communique toujours, en effet, à celui à qui l'on s'adresse notre attente à son égard. Et, si cette attente a une place aussi importante dans l'institution éducative, c'est parce que l'élève y est dans une situation résolument asymétrique où le sujet-supposé-savoir est toujours aussi, plus ou moins, le « sujet-supposé-savoir mieux que lui ce qu'il convient de savoir sur lui »[1]. A l'instant où le maître, drapé dans son rationalisme et son objectivité, invoque la liberté de l'élève, il fait semblant d'ignorer l'image sociale qui est la sienne et l'autorité qui est associée à cette image. Même s'il revendique cette autorité par ailleurs et s'insurge dès qu'elle est contestée, même s'il garde le droit de suspendre à tout moment son activité formatrice pour s'adonner à l'évaluation des travaux et des personnes, il suppose que, dans la relation pédagogique, tout cela est miraculeusement oublié : effacés les jugements de valeur du dernier bulletin, les remarques louangeuses ou acides lors de la dernière interrogation orale, les regards encourageants ou sévères pendant la dernière composition écrite... Il n'a jamais rien dit ou laissé paraître qui « fasse autorité » et soit susceptible d'amener l'élève à s'aligner sur l'opinion légitime de la compétence professionnelle qu'il incarne toujours — du moins est-on en droit de l'espérer. Mais on ne peut, à la fois, revendiquer cette compétence, exercer quotidiennement le droit de juger, et supposer, dans une espèce de déni de l'histoire pédagogique, que l'élève va faire fi de ces jugements et s'arroger le droit de les démentir. Chacun connaît des enfants qui ne demeurent cancres que par respect pour l'image que leurs professeurs ont d'eux... Comment, alors qu'ils sont jeunes et inexpérimentés, sans diplôme ni autorité institutionnelle, pourraient-ils faire mentir ceux qui, de classe en classe, de discipline en discipline, du haut de leur chaire, s'accordent à les considérer comme des incapables ?... A moins qu'ils ne rencontrent, dans leur entourage scolaire ou social, un regard positif et confiant, un optimisme déterminé qui leur renvoie une autre image d'eux-mêmes et la conviction que quelque chose est possible. A moins, surtout, qu'ils ne se trouvent en face d'un adulte décidé à tout faire pour « les en sortir » et se sente personnellement responsable de leur progression.

Car la responsabilité n'est pas, dans la relation pédagogique, une « quantité constante » qu'il s'agirait de répartir entre différents partenaires : la part que j'en prends n'est pas prélevée sur celle de l'autre ; bien au contraire, elle l'accroît. Plus je me sens responsable d'autrui et de son succès, plus je cherche et j'invente des moyens pour le faire

---

1. Il n'est pas utile de rappeler ici, une fois de plus, les importants travaux de R. A. ROSENTHAL et L. JACOBSON sur les effets de l'attente positive du maître sur la qualité des résultats des élèves (*Pygmalion à l'école*, Casterman, Paris, 1973), ni les belles mises en garde d'ALAIN sur les effets désastreux de la désespérance sur l'élève (*Propos 2*, Gallimard, La Pleiade, Paris, 1970, en particulier pages 643 et 874). On peut renvoyer, en revanche, aux excellentes études, moins connues, de P. MARC, *Autour de la notion pédagogique d'attente* (Peter Lang, Berne et Francfort, 1985).

réussir, plus je travaille à articuler le savoir à lui enseigner sur ses projets propres, plus j'invente des moyens pour donner sens aux apprentissages et des dispositifs pour les faire réussir, plus je lui communique la conviction du possible et l'engage dans une dynamique féconde.

Car, pas plus que l'élève n'existe tout seul, il n'apprend tout seul. Sa détermination à apprendre ne peut pas être considérée — pas encore, pas au début, pas tant qu'il demeure l'« objet » d'une éducation — comme une décision solitaire qui émanerait du tréfonds de son être, à la découverte des satisfactions intellectuelles auxquelles elle serait susceptible de l'amener. Parce qu'on ne peut connaître vraiment le plaisir d'apprendre avant d'avoir appris, sa détermination à apprendre s'inscrit d'abord dans une relation, elle répond à une exigence et à un défi ; elle honore une confiance et la justifie tout à la fois, elle est ce geste qui rend à l'autre le salut par lequel on l'a reconnu dans son humanité.

La véritable liberté d'apprendre n'est pas ici dans un choix personnel auquel on convierait autrui, en toute extériorité ; elle est dans la réponse à un appel. Et cela pour la bonne raison qu'il n'y a jamais, dans les entreprises éducatives, d'extériorité absolue des partenaires l'un par rapport à l'autre, que l'indifférence la mieux entretenue ne peut abolir le poids des intentions passées et des représentations présentes, que l'éducateur dit toujours plus que ce qu'il dit, puisque c'est une voix, un visage et un corps qui le disent... une présence donc, qui est toujours présence de quelqu'un à quelqu'un, irrémédiablement intentionnelle. Qu'on le veuille ou non, qu'on le sache ou non, le sens est toujours là : je ne demande rien sans attendre quelque chose, je ne dis rien sans espérer une réponse, je n'exige rien sans communiquer, d'une quelconque façon, à l'autre ce que je crois savoir de sa capacité à honorer mon exigence. Et lui ne me dira rien qui ne sera une manière de réponse, qui ne me parlera de moi tout autant que de lui, comme je lui parlais de lui tout autant que de moi.

Il n'y a donc pas d'« être-pour-moi » qui ne soit aussi « être-pour-l'autre » : vouloir enseigner, c'est croire en l'éducabilité de l'autre ; vouloir apprendre, c'est croire à la confiance de l'autre sur moi. On comprend aisément, alors, que celui qui veut enseigner ait à témoigner de cette confiance s'il cherche que l'autre apprenne quelque chose de lui. L'optimisme de la volonté, dont on sait bien qu'il n'est pas contradictoire mais corollaire du pessimisme de la raison[2], de l'obstination à envisager les difficultés et à identifier les obstacles pour mieux les surmonter, est ainsi, en réalité, une efficace du regard.

---

2. L'expression est d'Antonio GRAMSCI.

7

Le piège

On peut être malade de l'éducabilité. Et je crois bien que je le fus. Il arrive un moment, en effet, où la conviction du progrès possible d'autrui et de la part que l'on peut y prendre s'emballe dangereusement. Cela commence avec quelques symptômes apparemment bénins : un agacement parce que l'autre ne va pas assez vite, ni tout à fait là où il faudrait. Une parole qui s'accélère, devient tranchante et laisse poindre un instant la déception avant que la confiance reprenne le dessus... Mais il arrive que les choses s'aggravent et qu'on se laisse envahir doucement par la culpabilité et la violence. Nous ne supportons plus, alors, que l'autre nous échappe et nous nous tendons tout entier dans un désir effréné de maîtrise.

Certes, nous pouvons nous souvenir, à ce moment-là, pour nous rassurer, de la nécessité du pari de l'éducabilité ; nous pouvons nous répéter sans trêve que la résignation serait une démission et qu'il est légitime, à tous égards, de vouloir exercer une influence. Mais, petit à petit, la tentation démiurgique nous prend. Nous laissons envahir notre vie professionnelle — parfois même toute notre vie — par l'obsession de séduire ou de briser. Il nous faut y parvenir coûte que coûte.

Le défi prend alors des proportions d'autant plus inquiétantes qu'il se fixe précisément sur la personne ou l'élève qui nous mettent plus particulièrement en échec. Cela devient « une affaire » et nous ne tardons pas à en faire « notre affaire ». Celui-là qui est toujours inattentif, ou cet autre qui ne fait jamais son travail, ou cet autre encore qui refuse le moindre conseil, se dérobe ou m'agresse quand je lui parle, il faudra bien qu'ils cèdent. J'y mettrai le temps qu'il faudra, j'y consacrerai, s'il le faut, toute mon énergie, je sacrifierai tous les autres, ma vie personnelle et mes loisirs, j'abandonnerai toute disponibilité aux appels venant d'ailleurs, mais j'y parviendrai un jour ou l'autre. J'en fais un point d'honneur ; je n'en démordrai pas[1].

C'est alors un terrible duel qui s'engage, un jeu subtil de pouvoirs où la résistance de l'autre nourrit mon entêtement, où la générosité de mes intentions — dont je cherche encore désespérément à me convaincre — subit de curieuses métamorphoses : de l'acharnement au dépit, de la colère à l'indifférence, de l'exhortation à la sanction. On se prend alors, en effet, à punir ou à humilier celui qui se dérobe ainsi à notre pouvoir, avant de retourner la violence contre nous, en une culpabilité mortifère où l'échec de l'autre devient notre échec au point de compromettre jusqu'à notre raison d'être et d'enseigner. Parfois l'irréparable survient comme une délivrance : la gifle, l'abandon, l'exclusion ou, pis encore à bien des égards, la fatalité qui s'infiltre et vient figer en nous tout élan pédagogique. Menacé par la folie, nous préférons parfois, alors, sombrer dans la résignation ; par crainte d'être entraîné vers la destruction de l'autre et de nous-même, nous préférons détruire en nous tout intérêt pour l'autre. Nous croyons ainsi pouvoir nous sauver mais, en réalité, nous nous condamnons ensemble à l'immobilité : en récusant l'éducabilité, nous éconduisons l'éducable et l'éducateur, nous renonçons à l'éducation.

---

1. Une des œuvres qui nous livre avec le plus de force un exemple d'emballement névrotique de la volonté d'éduquer, jusqu'à la captation absolue, est la pièce de H. de MONTHERLANT : *La ville dont le prince est un enfant* (Gallimard, collection « Folio », Paris, 1973). L'histoire se passe dans un collège religieux et décrit l'attachement intense de l'abbé De Pradts pour un élève rebelle, Souplier. Mais ce dernier résiste à l'influence de De Pradts, parfois avec une indifférence cruelle que l'abbé ne supporte guère : « Dimanche vous êtes parti sans me serrer la main. Hier, de toute la journée, vous ne m'avez pas adressé la parole. A quel point vous pouvez vous passer de moi ! » (page 33). C'est que Souplier est attaché à un autre élève, plus âgé, Sevrais, dont De Pradts finit par obtenir le renvoi. « Je pense, explique-t-il alors à Souplier, qu'il y a au moins une personne qui ne me gènera plus dans ce que je veux faire pour vous. Car il faut absolument que je vous reprenne en main » (page 106).
En réalité, l'abbé cherche à accroître son emprise sur Souplier au fur et à mesure que croissent ses résistances. Il se veut son sauveur, exige la soumission et quête son amour, devenant même incapable de percevoir l'invraisemblance de ses demandes. Mais le supérieur du collège découvre cette relation étrange et renvoie Souplier. Pendant le départ du jeune élève, il a, avec l'abbé, une explication orageuse : « Il y a en vous un feu, mais ce n'est pas celui dont parle saint Bernard, c'est un feu qui brûle et qui n'éclaire pas » (page 148).
Certes, il s'agit ici d'un cas limite où l'attachement prend des dimensions paroxystiques en raison de l'environnement spécifique... Mais nous savons bien que, à une moindre échelle, un tel emballement menace toujours celui qui se donne pour projet d'éduquer « quoi qu'il en coûte ».

N'y a-t-il donc pas moyen d'échapper au piège ? La folie menace-t-elle irrémédiablement celui qui fait le pari de l'éducabilité de l'autre ? Et ne peut-on échapper à cette folie que par l'abdication et l'abstention éducatives ? Le prix à payer pour l'éducation serait-il si lourd qu'il vaille mieux renoncer à éduquer ?

8

Faire comme si

Il suffit sans doute de peu de choses pour que le postulat de l'éducabilité échappe à la tentation démiurgique et à la folie destructrice. Il suffit, au fond, d'accepter que ce postulat soit constamment mis en échec sans, pour autant, y renoncer.

J'ai écrit « il suffit » et j'ai bien conscience d'être, ici, à la limite de la provocation. Car la capacité d'intégrer la négativité de l'éducabilité est, sans aucun doute, la chose la plus difficile du monde. Et pourtant... continuer à parier sur la réussite d'autrui, tout faire pour y parvenir, mais sans exiger d'être payé en retour dans un rapport de réciprocité marchande : telle est bien la condition pour qu'un obscur projet de maîtrise accède à la position éthique[1].

Cela commence avec la renonciation à la reconnaissance : je dois tout à mes enfants, à mes élèves, à mes étudiants mais je n'ai rien à attendre d'eux et surtout pas qu'ils me disent merci... Je sais bien tout ce que cette attitude peut porter d'ambiguïtés ; je sais qu'elle ressemble parfois à l'abandon ou à l'indifférence et je suis bien conscient qu'on ne renonce souvent à une gratification que parce que l'on en espère une plus grande encore. Mais je mesure aussi les ravages de la gratitude exigée et de la dépendance savamment entretenue. Je suis convaincu

---

1. C'est E. LEVINAS qui a, sans doute, exprimé le mieux le caractère constitutif, dans le domaine éthique, de l'« asymétrie de l'interpersonnel » (*Totalité et infini*, Nijhoff, The Hague, 1984, page 190). Il s'en explique dans *Ethique et infini* (Fayard, Biblio, Paris, 1982) : « Je suis responsable d'autrui sans attendre la réciproque, dût-il m'en coûter la vie. La réciproque c'est son affaire. C'est précisément dans la mesure où, entre autrui et moi, la relation n'est pas réciproque que je suis « sujet ». C'est moi qui supporte tout. Vous connaissez cette phrase de DOSTOIEVSKI : « Nous sommes tous coupables de tout et de tous devant tous, et moi plus que les autres ». Non pas à cause de telle ou telle culpabilité effectivement mienne, à cause de fautes que j'aurais commises, mais parce que je suis responsable d'une responsabilité totale qui répond de tous les autres et de tout chez les autres, même de leur responsabilité. Le moi a toujours une responsabilité de plus que tous les autres » (pages 94 et 95).
Il nous faut donc parier sur l'homme, sur tous les hommes, être pleinement responsable de la constitution d'autrui en sujet, responsable de son accès à l'humanité, sans nourrir pour autant de culpabilité narcissique le jour où l'échec vient nous rappeler notre finitude. La chose n'est pas simple et il faudrait sans doute bien plus qu'un livre pour en comprendre le sens et en mesurer les enjeux.

que celui qui se croit astreint à la reconnaissance est condamné à la culpabilité et qu'il n'en fait jamais assez, puisque sa dette ne peut être définie ni dans son contenu ni dans son échéance... Je ne suis jamais assez reconnaissant pour celui qui exige ma reconnaissance et, chaque fois que je crois me libérer à son égard, je ne fais qu'entretenir le rapport dans lequel il m'enferme. Il n'y a guère que dans les westerns où l'on peut payer sa dette et repartir ensuite libéré de toute attache. Dans la réalité, et en éducation surtout, on ne paie sa dette que pour confirmer sa position de débiteur. C'est pourquoi nous n'accédons à l'éducation que dans le renoncement à la reconnaissance. Renoncement douloureux, jamais définitivement acquis, toujours talonné par le secret espoir d'un merci et sur lequel on parvient, quelquefois, à gagner une courte avance, une avance précaire et toujours menacée... mais une avance qui demeure sans conteste le seul signe tangible de notre détermination éducative[2].

Et, pourtant, la non-reconnaissance n'est pas, en définitive, le plus difficile à accepter ; car, avec le temps et cette extraordinaire capacité que nous acquérons vite de renouveler nos intérêts et d'oublier ce qui, à un moment, a accaparé notre esprit, nous apprenons à accepter l'ingratitude et, même si nous ne parvenons pas à y voir facilement un moyen pour accéder à l'éthique, nous nous résignons à elle comme on se résigne à l'inévitable. L'échec, en revanche, en ce qu'il témoigne de la résistance irréductible de l'autre à notre influence et parce que nous ne pouvons pas, déontologiquement, l'attribuer à un autre qu'à nous sans abdiquer de notre postulat, nous atteint plus profondément. Nous sommes capables, en effet, sans trop de danger pour notre métier, d'accepter que celui avec qui nous avons réussi nous oublie ou nous renie, mais il nous est difficile d'accepter qu'il nous résiste ou nous récuse. Et, pourtant, c'est dans cette acceptation que se trouve, si ce

---

2. Certes, pour nous aider dans ce renoncement nous pouvons compter sur la multitude des sollicitations de notre vie quotidienne d'éducateur. C'est que nous n'avons guère le temps, en réalité, de nous apitoyer sur l'ingratitude de l'un ou l'autre de nos élèves... Car les autres sont là et leur existence un appel à oublier les blessures d'un moment. « Il est essentiel à l'existence, explique Marcel CONCHE, de comporter ouverture, appel et accueil au toujours autre, à la nouveauté toujours recommencée, donc, corrélativement, de se détacher, de se déprendre, de se détourner, de se cuirasser dans l'oubli : l'oubli rend possible et protège notre disponibilité » (*Orientation philosophique*, P.U.F., Paris, 1990, page 62). L'oubli, en ce sens, est éminemment éthique et « l'obsession éthique », elle, quand elle nous absorbe complètement, nous enferme dans une relation duelle avec un sujet dont nous voulons la reconnaissance tout en nous culpabilisant de la vouloir, nous éloigne de la véritable éthique. Mais l'oubli n'est pas, ne doit pas être, l'abandon, l'indifférence... L'oubli est ouverture, y compris ouverture nouvelle à celui que l'on vient d'oublier. L'oubli nous rend notre disponibilité : en oubliant les blessures que cet élève a infligé à mon amour-propre, je redeviens disponible à une relation avec lui, une relation sans exigence de reconnaissance.

n'est la sagesse, au moins la survie du projet d'éduquer. Paradoxalement, le pari de l'éducabilité n'est tenable qu'en acceptant les échecs auxquels il est confronté ou, si l'on préfère, en renonçant à ce qu'il produise mécaniquement la réussite qu'il espère[3].

Car, outre la tentation démiurgique qui nous menace alors, nous sortirions tout simplement de l'ordre de l'éthique pour entrer dans celui du marché. Si j'étais payé en réciprocité pour ce que je fais, quel mérite aurais-je à le faire ? Si je pouvais argumenter mon pari en exhibant mes réussites et sans risquer de me voir opposer mes échecs, j'accéderais alors à une sorte de sécurité ontologique dont nous savons bien qu'elle ne peut être le privilège — s'il existe — que de Dieu. Or nous ne sommes pas Dieu, nous ne sommes pas tout-puissants et c'est sans doute mieux ainsi... La théologie a raison de réserver la toute-puissance à celui qui est défini comme intrinsèquement bon : cela limite les dégâts ! Encore que les théologiens aient bien du mal à concilier la toute-puissance de Dieu et la désobéissance des hommes, au point que certains d'entre eux ont renoncé précisément à l'affirmation péremptoire de cette toute-puissance. Mais, pour ce qui nous concerne, les choses sont théoriquement plus simples, même si elles sont pratiquement plus compliquées : l'éducateur doit faire « comme si » il était tout-puissant, tout en sachant qu'il ne l'est pas et qu'il ne serait pas bon qu'il le soit. Toute la difficulté, on le voit, est dans le « comme si » : attitude complexe et peut-être ambiguë mais, vraisemblablement, attitude spécifique de l'humain en sa fragilité même.

---

3. V. JANKELEVITCH, dans *Le paradoxe de la morale* (Le Seuil, Paris, 1981), montre bien que l'exigence éthique est celle de la « préférabilité inconditionnelle d'autrui » (page 39). Aimer quelqu'un parce qu'il me ressemble, qu'il fait partie de la même communauté que moi, parce qu'il m'attire ou parce qu'il me rend ce que je lui donne, ce n'est pas aimer : « Les raisons d'aimer, quand elles prétendent motiver l'amour, se transforment en marchandises monnayables, en titres négociables et par suite révocables... » (page 170). Ne peut-on pas en dire autant pour les raisons d'éduquer ? Car nous devons travailler à la réussite de l'autre pour cette simple raison qu'il est là et que sa présence est un appel à l'avènement de l'humanité. Nous devons éduquer pour cette raison qui n'est pas, *stricto sensu*, une raison. Et notre devoir d'éducation ne s'accompagne d'aucun devoir de l'autre à notre égard, de la même manière que, comme le dit V. JANKELEVITCH, « les devoirs de l'autre ne sont jamais le fondement de mes droits » (page 176). Au contraire, « tout est, pour moi, devoir. Et, par conséquent, tes droits sont perçus, vécus par moi comme étant les premiers de mes devoirs, les plus urgents et les plus impératifs » (page 177).
Les droits de l'homme, de chaque homme, à accéder à ce que l'humanité a élaboré de plus grand et de plus important pour son émancipation constituent mes devoirs d'éducateur. Bien sûr, chaque être — et celui que j'éduque comme les autres — a des devoirs... mais ses devoirs ne sont pas mes droits, ses devoirs c'est son affaire et seulement son affaire. A moins de quitter l'éducation pour le dressage, d'abandonner le projet de susciter l'émergence d'une liberté et de s'orienter vers la mise en place de conditionnements efficaces.

Car toutes les vraies questions, nous le savons bien, nous engagent vers le « comme si »... et, au premier chef, la question de la mort : « vivre comme si nous ne devions jamais mourir » ou « vivre comme si nous devions mourir demain », c'est toujours « vivre comme si », et c'est la seule manière de vivre avec la mort, c'est-à-dire, au fond, de faire avec ; toutes les autres attitudes sont une quête sans espoir pour vivre sans elle au risque de ne pas vivre du tout.

On voit ici que « faire comme si » n'est pas une esquive de la question mais, sans doute, la seule manière de l'assumer. Ce n'est pas, non plus, une façon de « faire semblant »... bien au contraire, c'est le seul moyen pour « faire face », faire face à soi-même et aux autres, ne rien renier de ce que l'on croit mais en sachant l'infinie précarité des choses et notre extrême faiblesse. « Faire comme si », pour l'éducateur, est peut-être, finalement, la manifestation du vrai courage : le courage d'éduquer en se lançant dans l'entreprise avec toutes ses forces et son imagination, le courage de reconnaître le peu de poids de son action au regard du jeu complexe des influences physiques et sociales et en face d'une liberté que nous cherchons précisément à constituer, le courage de reconnaître son échec mais de n'en point désespérer pour autant[4].

---

4. Je ne crois plus guère que, comme le disait J. ARDOINO, l'éducateur doit, « au moins symboliquement, mourir pour permettre à autrui d'exister » (*Propos actuels sur l'éducation*, Gauthiers-Villars, Paris, 1971, page 70). C'est que je connais les ruses du suicide où l'on magnifie l'absence pour exalter sa présence et jouir du vide que l'on a créé. Je sais la tentation de l'éducateur de se laisser aller à de telles attitudes et je ne lui jette pas la pierre : accepter de mourir à l'autre et à soi n'est pas chose simple... Est-ce seulement chose possible ? Peut-on renoncer à penser ce que l'on pense, à savoir ce que l'on sait, à croire ce que l'on croit ? Et peut-on, surtout, renoncer à chercher à convaincre l'autre que ce à quoi nous adhérons et qui donne sens à notre existence doit être aussi « bien pour lui » ? A moins que « la mort » ait ici valeur d'un mythe, qu'on la sache impossible mais que l'on décide de « faire comme si » ? Ou à moins que l'on se situe au terme de l'éducation, quand le sujet éduqué est en mesure de développer l'argumentation rationnelle grâce à laquelle il peut réfuter son éducateur. Mais il n'est pas facile, pour l'éducateur, de se résigner à ce que l'éducation ait un terme. Si le lien n'est pas coupé par les circonstances ou par l'éduqué lui-même, l'éducateur insiste toujours dangereusement. Quand on a été éducateur, on ne renonce pas facilement à faire la leçon, on n'accepte pas facilement d'examiner ce que l'on pense et croit savoir à la lumière de ce que celui que l'on a éduqué est en mesure de vous dire... Cela suppose une capacité rare à accepter d'intégrer la critique d'autrui, la faire sienne pour la confronter avec ce que l'on croyait stabilisé à jamais et construire avec elle de nouveaux échafaudages personnels et théoriques. Mais on voit que ce qui est ici facteur de progrès n'est pas l'abandon de soi mais la confrontation de soi avec l'autre dont j'accepte que la parole vaille — et non supplante — la mienne. Le passage de la domination à la soumission — et, *a fortiori*, à la mort, fût-elle symbolique —, ne fait progresser personne ; c'est l'interaction dans la parité qui est décisive... Et bien plus difficile à bien des égards (voir, à ce sujet, le chapitre 19 : « Du contrat »).

9

Le dépit et la suffisance

Parce que rien n'est plus difficile que de parier sur l'éducabilité d'autrui et de tout mettre en œuvre pour parvenir à ses fins sans attendre, pour autant, de réciprocité marchande, parce que rien n'est plus éprouvant que d'agir sans exiger d'être payé en retour, le pédagogue est sans cesse menacé de renverser son exigence en suffisance, d'afficher un désintérêt ostensible pour les effets qu'il produit et les réponses qu'il reçoit.

Certes, on peut argumenter une telle attitude, expliquer que trop d'enfants meurent ou s'épuisent de la trop grande attente des éducateurs à leur égard, souligner que beaucoup d'entre eux ne parviennent jamais à réaliser les projets merveilleux conçus pour eux par les adultes et payent en souffrance l'existence d'un fossé impossible à combler. Mis en demeure de réaliser d'inaccessibles ambitions, ils vivent cet inévitable écart comme leur propre échec et oscillent, pour l'expliquer, entre la fatalité et la culpabilité... Il en est trop qui abandonnent ainsi toute espérance pour n'avoir pu se montrer à la hauteur de l'image merveilleuse fomentée par leurs parents... ou par ceux de leurs éducateurs qui les avaient choisis pour vivre leurs rêves par procuration[1].

---

1. On trouvera sans doute un des récits les plus poignants d'une telle histoire dans l'ouvrage d'H. Hesse, *L'ornière* (Calmann-Lévy, Paris, 1972). Un enfant, Hans, est poussé par un village tout entier à passer le concours d'entrée au séminaire voisin de Tubingen. Il est l'objet d'un véritable entraînement intensif et réussit brillamment. Il se révèle alors un excellent sujet, endossant merveilleusement le projet des adultes à son égard... « Il se sentait pris d'une impatience de progrès, d'un orgueilleux sentiment de supériorité en songeant à quel point il avait dépassé ses camarades, en quelle estime le tenaient professeurs et recteur » (page 64).
Mais l'institution scolaire entretient toujours des rapports terriblement ambivalents avec les meilleurs élèves : elle les encourage et, en même temps, ils l'inquiètent. Sans doute parce que, grâce à leur lucidité, ils peuvent « regarder, à l'occasion, le professeur d'un air moqueur » (page 129), rivaliser avec les maîtres, percer les médiocres secrets de

Trop d'êtres se sentent ainsi jugés, responsables de la déception de ceux qui, précisément, les aimaient le plus. Trop, parmi eux, parce qu'ils ne peuvent plus porter une telle responsabilité nourrissent alors une terrible culpabilité ou, pour la fuir, se construisent progressivement la certitude de leur radicale incapacité. Car on peut, en effet, se vivre en échec parce que l'autre n'attend rien de bon de vous ; mais aussi, nous le savons bien, parce que l'autre attend trop[2].

Et c'est, sans doute, quand l'éducateur a trop attendu ou, plus exactement qu'il a attendu la réponse de l'autre comme son dû, que, par dépit, il affecte de ne plus rien en attendre. C'est, sans doute, quand on n'a pas intégré le principe de non-réciprocité que l'on adopte le principe d'indifférence, en faisant mine de croire que c'est exactement la même chose.

Or la non-réciprocité, c'est la confiance sans l'exigence, le crédit sans la dette, l'espérance du mieux sans la brutalité pour l'obtenir. La suffisance, au contraire, c'est ce vers quoi nous entraînent l'exigence sans la confiance, la dette sans le crédit, la brutalité dans nos moyens sans l'espérance dans les personnes. La non-réciprocité ressemble un peu à une délicatesse active ; la suffisance à une passivité méprisante. La suffisance c'est, en réalité, le refuge d'un amour trahi, ou, plus exactement, de cet amour exclusif du résultat qui n'aime guère la personne qui y parvient et qui, quand le résultat n'arrive pas, se renverse

---

l'institution et découvrir les ressorts dérisoires de son fonctionnement. Ainsi Hans, pour avoir trop cru aux espérances des adultes, est-il finalement brisé et devient-il un paria dans l'école qui l'avait adulé. Il oppose alors une résistance d'autant plus terrible qu'elle s'accompagne « d'un pauvre sourire humble » (page 156)... à tel point que « tous les guides de sa jeunesse, pénétrés de leur devoir, (...) voyaient maintenant en Hans un obstacle à leurs vœux » (pages 156, 157). Après l'échec et le départ de l'école, la déception des éducateurs de Hans est terrible. Aussi, celui-ci, après une beuverie, ne pouvant supporter l'image de sa déchéance, se noie mystérieusement... » Le dégoût, la honte, la peine lui étaient définitivement épargnés » (page 234).

2. Ainsi, dans la perspective ouverte par LACAN, S. LECLAIRE montre-t-il qu'« il y a pour chacun, toujours, un enfant à tuer, le deuil à faire et à refaire continûment d'une représentation de plénitude, de jouissance immobile » (*On tue un enfant*, Le Seuil, Collection « Points », Paris, 1981, page 12). En d'autres termes, devenir adulte — si l'on veut bien accepter qu'il s'agit là d'un objectif souhaitable — requiert de renoncer à chercher désespérément à réaliser le projet que notre mère a eu pour nous, de renoncer à être, en quelque sorte, « l'objet sexuel de notre mère », celui qui n'aspire pas seulement à être satisfait par sa mère mais aspire aussi, de toutes ses forces, à satisfaire sa mère. Il faut, expliquent les psychanalystes, mettre un peu d'ordre dans tout cela, il faut qu'intervienne un tiers pour briser l'indifférenciation.
On dira, bien sûr, qu'il s'agit là d'une situation exceptionnelle qui ne peut se vivre que

en indifférence, voire en hostilité. La suffisance, c'est l'illusion de ne plus avoir besoin de l'autre alors que c'est précisément, à l'inverse, quand le besoin de maîtriser l'autre nous tenaille, quand nous ne savons plus l'inviter sans le contraindre, quand la pression affective et la sanction ont échoué, quand nous avons renoncé à lui donner à désirer ou à l'inviter au partage, que, pour faire bonne figure, nous toisons la terre entière et nos élèves en particulier. Nous réussissons même parfois, dans ces moments-là, à nous faire passer pour modestes et à déguiser notre arrogance en sage humilité. Mais cela ne trompe pas longtemps et l'évidence s'impose vite : la suffisance, c'est bien quand le « je veux tout de toi » se renverse en « je n'attends plus rien de toi ».

On connaît bien, alors, cette attitude de mépris affiché où l'on prétend effectuer son travail par devoir mais sans conviction, où l'on répète sans cesse que l'on fait « pour le mieux », sans illusion aucune sur l'intérêt que l'autre va y trouver, convaincu que l'on est que « cela n'est absolument pas notre affaire ». On fait ici profession d'indifférence et l'on met un point d'honneur à ne jamais manifester la moindre déception. C'est le fait que l'autre réponde qui « nous surprendrait », affirme-t-on parfois... alors que, en réalité, nous savons que c'est maintenant cela qui nous décevrait vraiment. Car nous sommes pris ici dans un processus d'auto-justification où l'isolement se nourrit de ses

---

dans le champ clos de la cellule familiale mais qui est exclue en situation scolaire. Est-ce si sûr ? Ne connaissons-nous pas de ces situations où une classe tout entière sert d'écrin à quelques couples dans lesquels chacun ne cherche qu'à satisfaire l'autre ? Ce que W.R. BION nomme « l'hypothèse de base du couplage » structure ici la vie affective du groupe (*Recherches sur les petits groupes*, PUF, Paris, 1976, pages 101 à 103).
On peut d'ailleurs trouver une intéressante illustration de ce phénomène dans l'ouvrage de S. ZWEIG, *La confusion des sentiments* (Stock, Paris, 1990) ; le maître exerce ici une terrible fascination sur un de ses jeunes disciples : « Je venais pour la première fois, avoue un jour ce dernier, de me sentir conquis par un maître, par un homme ; je venais de subir l'ascendant d'une puissance devant laquelle c'était un devoir et une volupté de s'incliner » (page 39). Très vite, pourtant, il ne s'agit plus seulement de se soumettre à une influence, mais de répondre à un appel que le maître adresse implicitement au disciple : « Ce qui enflammait de telle sorte mon zèle, c'était surtout la vanité de produire sur mon maître une impression avantageuse, de ne pas décevoir sa confiance, d'obtenir de lui un sourire d'approbation et de l'attacher à moi comme j'étais attaché à lui » (page 59). L'un et l'autre finissent ainsi par ne plus vivre que pour la satisfaction qu'ils peuvent se procurer réciproquement... jusqu'au jour de la rupture et de l'explication où le maître lui-même dévoile son jeu : « D'abord je craignais que tu ne devinasses combien tu m'es cher... puis j'ai espéré que tu le sentirais toi-même, simplement pour que cet aveu me soit épargné » (page 165). La captation réciproque sera ici brisée par l'aveu. Mais combien de fois laisse-t-elle sur le chemin des hommes déçus et amers ?

effets : je m'éloigne puisque les autres ne veulent pas de moi et, puisque je m'éloigne et me durcis, je suis sûr qu'ils voudront encore moins de moi. Je finis en fait par déclencher, plus ou moins délibérément, ce qui est censé justifier mon attitude. Et le « respect de l'autre », quand il est mobilisé ici, n'est qu'un pitoyable épouvantail pour éloigner les échappées furtives de la conscience éthique... L'éthique qui n'est pas — ne doit pas être — l'indifférence à l'autre et à son destin. Car le refus du modelage ne peut se transformer en déni d'influence, sauf à abandonner totalement le projet même d'éduquer[3].

---

3. On peut se reporter, sur ce sujet, au chapitre 15 : « L'exigence du meilleur et l'acceptation du pire ».

10

Etre tout ou n'être rien

Les équilibres subtils et les synthèses réconfortantes sont toujours satisfaisants sur le plan théorique. Il est facile, pour celui qui écrit de loin et du bout des doigts, de récuser les excès de la pratique et de magnifier la capacité à se situer au centre, dans la sérénité du sage. C'est oublier que cette sérénité n'est jamais vraiment donnée, que l'on ne peut donc s'y installer, encore moins y vivre de ses rentes intellectuelles, à l'abri des contradictions où se débattent les médiocres. Car la sérénité est plutôt une illusion *a posteriori*, une sorte de béatitude au coucher du soleil, quand on regarde, à distance et au repos, les efforts de la journée, quand on réussit à se placer à la fin de l'histoire, au-delà des événements et de notre implication, quand les choses sont terminées pour nous et qu'on peut enfin, comme on dit, « les relativiser ».

Dans l'instant, les choses sont plus complexes, plus serrées ; tout simplement parce que nous sommes là, immergés dans l'histoire et les histoires, aux prises avec nous-même et avec les autres. Dans l'instant, nous ne sommes guère sereins parce que nous voulons et que le vouloir est souvent tourmenté, toujours actif, systématiquement partiel. Nous voulons toujours quelque chose et, dans une situation donnée, cela signifie que nous excluons ou sous-estimons toujours autre chose. L'action, finalement, n'est sereine que pour celui qui n'agit pas ou trouve l'apaisement en bout de course, quand on peut s'adonner à l'esthétique, fût-ce l'esthétique de l'intelligence. Dans le quotidien, ce sont plutôt la passion et l'urgence qui décident et, pour le pédagogue ce sont sans doute — dans une oscillation jamais très facile à vivre — le désir de se voir reconnu comme celui à qui l'on doit l'essentiel et la tentation de se vouloir, par dépit, celui qui n'a rien donné.

Quand on est sur le terrain, en effet, dans un corps à corps difficile avec une classe ou un élève qui résistent à notre influence, qui ne voudrait être assez puissant pour pouvoir marquer l'autre du sceau de sa parole comme une cire molle ? Et, quand notre échec est patent, qui ne préfère se réfugier dans une impuissance constitutive de notre être

— et, finalement, assez reposante — plutôt que de s'engager dans un travail, long, minutieux et pénible, d'élaboration de remédiations? Plus radicalement, qui n'a rêvé d'être, dans la vie de quelqu'un, celui qui déclenche un changement irréversible et illumine son existence? Qui n'a rêvé un jour, au moins une fois dans sa carrière d'éducateur, d'être celui par qui tout est arrivé? Paradoxalement, nous caressons tous un tel projet, en dépit et à cause de nos difficultés quotidiennes à enseigner et à faire apprendre. Car, d'une certaine manière, ces difficultés le réactivent même, dans la mesure où elles contribuent à renforcer l'image de marque de la discipline que nous enseignons, sa puissance de fascination et, donc, l'espérance d'une miraculeuse conversion. Ainsi se nourrit et s'entretient la tentation d'un certain élitisme, comme un déni de la progressivité de l'apprentissage et du labeur quotidien d'appropriation, avec la conviction qu'il existe une rupture entre la somme des habitudes et la radicalité d'une attitude, dans le sentiment qu'il suffit d'une rencontre authentique, très exceptionnelle mais qui est pourtant la seule chose qui compte et auprès de laquelle tous les petits gestes quotidiens de l'apprentissage et la multitude des connaissances acquises sont totalement dérisoires.

Certes, on voit bien où peut s'enraciner une telle tentation ; on sait bien, en effet, que le véritable apprentissage s'accompagne toujours d'une sorte d'« illumination » où, dans l'instant, les choses apparaissent miraculeusement réorganisées avec une perspective nouvelle ; on observe quotidiennement que les savoirs n'ont de sens que s'ils sont ressaisis dans une « prise nouvelle sur le monde », irréductible à la somme des comportements requis pour leur acquisition[1]. Mais il ne faut jamais oublier, d'une part, que c'est au prix d'une dangereuse illusion rétrospective que l'on oublie tout le labeur quotidien de la préparation et, d'autre part, que c'est le sujet éduqué et lui seul qui est capable d'impulser le mouvement de la conversion, qu'il ne le fait donc jamais sur commande, au moment prévu et dans des conditions défi-

1. J'ai tenté de montrer ailleurs (*Apprendre, oui... mais comment*, ESF éditeur, Paris, 6e édition, 1990, pages 107 à 110) que l'acte mental d'appropriation d'un savoir était irréductible à la somme des comportements par lesquels il pouvait se manifester. La phénoménologie m'a convaincu, en effet, qu'il y a, dans l'apprentissage comme dans toute la vie de la conscience, une intentionnalité qui interdit de confondre l'acte avec les conditions de son effectuation.

nies par un autre[2]. C'est pourquoi nous ne pouvons nous passer de l'espérance de convertir mais nous ne devons jamais croire, dans une présomption qui, elle, serait véritablement dérisoire, que nous pouvons décider du jour et de l'heure. Nous ne devons jamais, non plus, argumenter de cette conversion pour abandonner tout effort didactique systématique... systématique, c'est-à-dire de tous les instants ; systématique, c'est-à-dire envers toutes les personnes. C'est, là encore, parce que nous ne sommes pas Dieu, que nous ne sondons pas les reins et les cœurs, que nous ignorons ce qui se passe dans les têtes, les maturations lentes et invisibles, les ruptures secrètes, que la modestie nous interdit l'élection. Ce n'est pas parce que nous ne pouvons pas « être tout » pour tout le monde qu'il nous faut désigner arbitrairement des élus. Ce n'est pas, non plus, parce qu'on ne parvient pas à « être tout » pour tous qu'il faut revendiquer, par dépit, de n'être rien pour personne.

---

2. C'est A. Ouzoulias qui, analysant l'œuvre de Platon (« Platon ou l'éternel pédagogique » dans *L'éducation : approches philosophiques*, P. Kahn et al., PUF, 1990, pages 19 à 49), montre que, pour lui, le processus d'éducation est une « conversion » et il ajoute : « La conversion, ici, tient à la fois, de la violence et de la libre adhésion (...). Il faut, dit Platon, une violence initiale pour contraindre, par une intervention extérieure, l'âme à se tourner vers les vérités premières (...). La pédagogie n'échappe pas à un coup de force initial. Parce que l'âme, d'elle-même, ne quitte pas l'apparence sensible pour les mathématiques, il revient au pédagogue de la forcer à apprendre. La pédagogie est alors l'art de gérer ce coup de force » (page 43).
Une telle conception trouve son sens au sein de l'échafaudage platonicien dans lequel le Vrai, le Bien et le Beau, quand ils sont découverts, emportent nécessairement l'adhésion en fonction de leur puissance propre. Mais, même dans une telle hypothèse, on ne peut, me semble-t-il, ignorer la possibilité, pour le sujet, de nier la vérité qu'on lui présente. Comme l'a bien montré Descartes, la difficulté même de ce refus ne diminue pas la liberté mais l'accroît, « car il nous est toujours permis de nous empêcher de poursuivre un bien qui nous est clairement connu ou d'admettre une vérité d'évidence » (Lettre au P. Mesland du 9 février 1645). Le sujet dispose, en effet, de cette possibilité de dire non, que Renouvier nommera la « nolonté », et sans laquelle on ne pourrait aucunement parler, en cas d'adhésion, de liberté. C'est notre pouvoir de refuser qui donne sens et valeur à notre acceptation.
Il me semble d'ailleurs que, en matière éducative, la négation de ce pouvoir supprimerait la possibilité même d'éduquer, puisque l'adhésion contrainte assigne le sujet à l'obéissance et lui interdit de se constituer dans son altérité. En réalité, l'existence de la liberté d'adhérer ou de se dérober est présupposée en quelque sorte par le projet d'éduquer et nous aurons à revenir plus loin sur ce point. On peut, certes, récuser ce projet mais on ne peut soutenir que le rôle du pédagogue est de « forcer à apprendre ». Il est, pour moi, de faire en sorte que l'autre décide ou refuse d'apprendre... ce qui ne lui interdit pas, comme le montre Descartes, de tout faire pour « éclairer la volonté », tout en acceptant que l'autre s'y dérobe. On peut se reporter, à ce sujet, au chapitre 15 « L'exigence du meilleur et l'acceptation du pire ».

Tout se passe, en effet, comme si la volonté éducative ne s'accommodait que des extrêmes et basculait constamment du « je suis tout pour toi » à « je ne veux plus rien être pour toi ». « Je suis tout pour toi parce que je t'ai appris à lire, fait découvrir la poésie, le théâtre, les mathématiques, la philosophie, le dessin... parce que je t'ai délivré de tes préjugés ou de tes parents... parce que j'ai inspiré le choix de ton métier. Avant moi, tu n'étais rien que matière informe, être inculte et sans projet cherchant désespérément un sens à son existence. Tu as eu la chance de me rencontrer sur ta route et que je fasse de ton éducation mon affaire. Pour toi, maintenant, rien ne peut plus être tout à fait comme avant. Tu vivras à jamais dans la nostalgie de notre premier regard, de notre première parole. »

Mais, au revers, si les choses sont moins exaltantes, elles n'en sont pas moins aussi radicales : « Tu n'as pas voulu de moi et de ce que je t'apportais. A l'instant même où je te donnais le meilleur de moi-même, tu rêvais d'autres choses, de choses médiocres évidemment, sans commune mesure avec ce que j'avais à te proposer. Tu as raté l'occasion, l'occasion unique qui se présentait à toi et qui ne reviendra pas... Mais peu importe après tout ! Je me suffis à moi-même, je n'ai pas besoin de toi, ni de ta reconnaissance, ni de ton amour. Je suis assez sûr de ce que je crois et de ce que je suis pour ne pas me donner le ridicule de quêter le moindre disciple. Mon échec, après tout, n'est que le prix à payer pour la qualité de mon enseignement et mon isolement pour l'originalité de ma pensée. Je suis fier, finalement, de n'être rien pour toi. Tu m'aurais gêné, encombré et, vois-tu, je crois même que tu aurais dévalué ce qui me tient le plus à cœur. Encore heureux que tu ne t'accroches pas ! »

Ainsi nous basculons toujours de la prétention absolue au déni complet, d'une ambition démesurée à une rétractation hautaine. Chaque jour, à chaque heure, quand nous renonçons à la simple satisfaction fonctionnaire et nous nous donnons pour mission d'éduquer, nous ne savons pas laquelle de ces deux attitudes nous adopterons, vers laquelle les circonstances nous pousseront et si nous saurons introduire l'autre quand la surchauffe démiurgique ou l'indifférence solipsiste nous menaceront par trop. Sans doute ne pouvons-nous survivre que parce que nous sommes précisément capables d'injecter le contre-poison au moment requis. Et peut-être aussi parce que nous espérons être capables, au bout du chemin, quand l'inévitable séparation adviendra, de reconnaître que, faute d'« être tout » ou de n'« être rien », nous avons été, tout simplement, dans l'histoire de l'autre, « quelque chose ». Mais on ne peut conjuguer cette sagesse-là qu'au passé, quand tout est terminé, que notre volonté n'est plus en jeu et que l'on peut alors se dire que « quelque chose » ce n'est pas rien... ce n'est sans doute pas tout, non plus... mais, après tout, ce n'est pas si mal ! On se résigne, alors à n'avoir été qu'une étape, on quitte l'oscillation pour une sérénité qui n'arrive, heureusement, que sur le tard. Heureusement, car cette sagesse, si elle aide à retrouver la paix, n'aurait permis, plus tôt, d'engager aucune action[3].

---

3. L'un de ceux qui a le mieux, je crois, exprimé cette réalité est Albert THIERRY dans *L'homme en proie aux enfants* (Magnard, Paris, 1986). A. THIERRY, né en 1881, mort dans l'offensive d'Artois comme simple soldat en mai 1915, décrit dans son journal son expérience d'instituteur libertaire débutant. On y voit un être terriblement humain qui s'investit totalement dans son métier, avouant quand il découvre sa classe : « J'espérais tout (mais quoi ?) de leur amour qui finirait bien par répondre à mon amour » (page 45). Et puis, au fur et à mesure des jours, il se heurte à la résistance de ses élèves, se voit contraint de sanctionner, se vit comme quelqu'un qui « décaractérise ses victimes » (page 70) alors qu'il cherchait à éveiller leur personnalité. Il exprime, avec une extraordinaire intensité, sans doute parce qu'il le vit dramatiquement et jusqu'à la souffrance, le paradoxe de l'éducateur : « Je voudrais pétrir selon sa loi cette pauvre matière humaine. Démiurge désintéressé, comment dégager de ces enfants diffus, sous mes poings, des hommes à leur image ? » (page 122 — c'est moi qui souligne). Il se sent ainsi, tour à tour, adopté et rejeté par ses élèves, représentant parfois pour eux le Maître qui apporte tout et permet la réalisation des ambitions les plus folles avant de redevenir l'étranger qui vient s'immiscer dans leur vie, que l'on chasse avec violence ou ignore avec mépris... Jusqu'au jour où Thierry doit quitter sa classe : « Acceptée, desséchée, absorbée, mon influence vit maintenant en ces enfants comme un seul jour de printemps dans un arbre de mille ans » (page 156). Un unique jour dans mille années, cela peut apparaître bien dérisoire. Mais « un jour de printemps dans un arbre de mille ans », cela suffit sans aucun doute à justifier une existence d'éducateur et la somme des soucis et des tâches qui l'emplit.

11

Double jeu

Ainsi le pari de l'éducabilité peut-il devenir manipulation démiurgique et la non-réciprocité se travestir en suffisance hautaine. Ces deux principes semblent donc aussi nécessaires l'un et l'autre que dangereux l'un sans l'autre ; et la tension entre eux pourrait bien être constitutive du projet même d'éduquer. Mais, peut-être, peut-on espérer, si ce n'est échapper aux oscillations que j'ai décrites, du moins découvrir quelque lest susceptible d'empêcher que ces oscillations soient trop fortes et que survienne alors le naufrage psychologique, avec l'emballement volontariste, le repli fataliste ou, *a fortiori*, parce que le balancement de la gîte devient si rapide et si brutal que l'embarcation cède à la folie ? Peut-être peut-on stabiliser quelque peu l'activité pédagogique en articulant, en son sein même, la réussite d'une instrumentation homogénéisatrice et d'une émancipation individualisante ? Et, peut-être, peut-on penser plus facilement cette articulation si l'on découvre un objet-tiers sur lequel elle puisse s'appuyer ? La question n'est pas facile et nous allons devoir cheminer avec elle longtemps.

Il n'est pas d'éducateur, en effet, dont le projet ne soit, d'une manière ou d'une autre, d'instrumenter autrui. Et il n'est pas d'instrumentation qui ne soit, de quelque façon, une entreprise de dressage et d'homogénéisation. L'éducation est affaire de société et malheur à celui qui l'oublie : l'institution sociale pardonne tout du moment que l'on sert ses intérêts... Elle tolère le contestataire pour autant qu'il contribue à former et à sélectionner ses élites ; elle promeut le révolutionnaire s'il forge le caractère de ses cadres... dans le même temps où elle félicite le médiocre qui laisse s'échapper les plus faibles vers les tâches de simple exécution avec la satisfaction tranquille de celui qui leur a donné leur chance. Elle encourage même, sans craindre pour son projet sélectif, le pédagogue dont les efforts visent, pourtant, à étendre l'efficacité de la transmission des savoirs : elle sait, en effet, que les facilités ainsi mises en œuvre bénéficieront prioritairement à ceux et à celles qui sont déjà demandeurs de savoir et qui en profiteront plus et mieux que les autres. On n'échappe pas facilement à la logique sociale et l'institution — sous la pression de plus en plus forte des « consommateurs d'école »[1] dont bien des enseignants et éducateurs font partie — risque de devenir sans pitié pour qui ne remplira pas sa « mission », ne saura pas voir comment évoluent ses besoins ni comprendre le sens de sa demande. Les professeurs des lycées et collèges en savent quelque chose, eux qui sont en proie aujourd'hui aux sarcasmes de la nomenklature économique pour n'avoir pas compris à temps l'importance de l'élévation du niveau de formation générale requis par les nouveaux postes de travail en entreprise. « Donnez-nous au moins des gens qui savent lire ! » clament les employeurs... « Et, si possible, des gens qui savent utiliser la proportionnalité, comprendre les principes d'un système informatique, parler deux langues étrangères, faire une note de synthèse, gérer l'imprévisible et travailler en équipe ! » Et que l'on ne croit pas que je donne tort, sur le fond, à ceux qui parlent ainsi, même si leur suffisance m'agace et si leur certitude tranquille qu'il suffit de décréter les choses pour qu'elles se réalisent me révolte quelque peu. Aucune société ne peut, en effet, subventionner, délibérément et sur le long terme, une institution qui la menace ou ne sert pas son développement. L'enseignant, lui-même, est un agent social d'autant plus mal placé pour contester ces évidences qu'il occupe une place dans cet appareillage, qu'on l'a formé — plus ou moins bien — pour la tenir et qu'on le paye — plus ou moins mal — pour y être efficace.

L'éducabilité a donc partie liée avec une entreprise qui vise toujours — et quoi qu'on en dise — à façonner autrui selon un projet établi par d'autres et à sa place, selon une représentation de l'utilité sociale telle qu'elle s'impose dans l'idéologie dominante et au nom de valeurs pour lesquelles le « sujet-objet » de cette éducation n'a pas lui-

---

1. L'expression « les consommateurs d'école » a été popularisée par R. BALION dans l'ouvrage qui porte précisément ce titre (Stock, Paris, 1982). L'attitude qu'elle décrit me semble caractéristique d'une évolution sociologique en profondeur liée, au moins pour une part, à la crise de l'emploi et à la difficulté pour le corps social d'accepter qu'une institution bénéficie d'une sorte d'impunité absolue. On peut donc parfaitement comprendre ce mouvement, que les enseignants eux-mêmes ont d'ailleurs anticipé dans leur comportement avec leurs propres enfants. Il reste que, comme je tenterai de le montrer plus loin, l'efficacité sociale de l'Ecole ne peut être confondue avec son efficacité éducative dont elle n'est qu'un versant (on peut se reporter, sur ce point, au chapitre 32, « La preuve et le signe »).

même opté[2]. En d'autres termes, éduquer c'est toujours, et quelle que soit la gymnastique idéologique à laquelle on se livre pour camoufler cette fonction sociale, une opération qui consiste à adapter des individus à un environnement donné, à les préparer à l'exercice de rôles sociaux dont les contenus sont toujours plus ou moins déterminés, même si nous savons, aujourd'hui, que la société ne décide pas complètement à l'avance de ceux qui doivent les exercer. L'éducateur qui n'accepterait pas cette réalité-là prendrait sans doute de grands risques, jusqu'à celui d'être récusé comme tel par tout le corps social.

Mais, par ailleurs, éduquer, je l'ai dit et chacun le sait bien, c'est

2. La thèse selon laquelle la fonction de l'éducation scolaire est essentiellement conservatrice, l'Ecole devant assurer la survie d'une société en pourvoyant à ses besoins dûment identifiés, a été formalisée, on le sait, par Durkheim (on peut lire, en particulier, *Education et sociologie*, PUF, Paris, 1980). Mais cette thèse a été récemment reprise et renversée à la fois par H. Arendt dans un texte qui prend aujourd'hui pour beaucoup un caractère emblématique (« La crise de l'éducation », dans *La crise de la culture*, Gallimard, Paris, 1972, pages 223 à 252). Celle-ci défend l'idée selon laquelle « le conservatisme — pris au sens de conservation — est l'essence même de l'éducation » (page 246)... Mais ce conservatisme, s'il s'exprime ici par une pédagogie traditionnelle, essentiellement fondée sur la magistralité et récusant cet « assemblage de théories modernes sur l'éducation » (page 229) où se mêlent, sans doute, Piaget, Lewin, Rogers et quelques autres, se veut au service d'une préservation du potentiel « révolutionnaire » de l'enfant. Les éducateurs qui cherchent à faire de l'enfant un novateur dans le domaine social ou politique en développant ce qu'ils appellent son autonomie par des « méthodes actives », le façonnent, en réalité, dangereusement selon leurs propres principes... qui seront inévitablement périmés quand l'enfant sera devenu adulte et, de ce fait, incapable d'invention.
Cette thèse qui manie brillamment le paradoxe semble supposer qu'il peut exister une sorte d'éducation « en apesanteur » où aucune influence sociale ne s'exercerait. Cela m'apparaît tout à fait illusoire et je crois préférable de former l'enfant à la capacité de se dégager des influences qu'il reçoit plutôt que de prétendre n'en point exercer.
Mais, en réalité, cette thèse est mobilisée à des fins qui m'apparaissent exclusivement polémiques par ceux qui s'obstinent aujourd'hui à tirer sur l'ambulance (le corbillard ?) de la non-directivité à laquelle ils assimilent tout effort pédagogique. Outre le fait que ces thèses se développent dans une sorte de vase clos théorique à l'abri de la moindre épreuve du réel (on peut se reporter, sur ce point, au chapitre 28, « L'obligation de trivialité »), ceux qui les défendent ignorent visiblement que les promoteurs de la non-directivité ont été les premiers, avec talent et clairvoyance, à dénoncer les dangers de leur entreprise et à en proposer une relecture critique (il faut lire absolument, sur ce point, l'ouvrage de D. Hameline et M.-J. Dardelin, *La liberté d'apprendre — situation 2, rétrospective sur un enseignement non-directif*, Editions ouvrières, Paris, 1977). Enfin, on ne peut ignorer — sous peine, me semble-t-il, de devoir assumer le soupçon d'inculture — les efforts des pédagogues et philosophes de l'éducation pour tenter d'« articuler sur les fonctions adaptatives, dont on est l'agent quoi qu'on en dise, une fonction de surgissement libertaire des acteurs, qui soit plausible socialement » (c'est encore D. Hameline qui parle dans un remarquable ouvrage, *Le domestique et l'affranchi*, Editions ouvrières, Paris, 1977, page 43). J'aurai l'occasion de revenir plus loin sur ce thème.

aussi émanciper. C'est rendre possible le surgissement d'un autre, même si cet autre doit contester son éducateur et refuser la formation qu'il lui a proposée[3]. Car la finalité dernière est bien l'émergence d'un sujet libre, d'une volonté capable de se donner ses propres fins, d'effectuer le plus lucidement possible ses propres choix, de décider en toute indépendance de ses propres valeurs. Que signifierait, en effet, l'obtention d'un assentiment par la crainte ou le réflexe, si ce n'est la négation même des valeurs que l'on prétend promouvoir ?[4] Le projet

---

3. Il n'est pas simple, pour une institution éducative, d'accepter le départ de celui qu'elle s'est donné pour mission de former. Sans doute même déploie-t-elle une énergie importante pour que son départ physique — inévitable à moins que l'on demeure dans l'école pour y devenir enseignant ! — se transforme en attachement psychologique et qu'elle survive, en quelque sorte, dans l'individu à travers ses habitudes de pensée et ses comportements.
Cette sorte d'adhérence a été remarquablement dépeinte par W. Gombrowicz dans *Ferdydurke* (Bourgeois, collection 10/18, Paris 1977). Le roman décrit l'étrange histoire d'un personnage capturé et enfermé dans une école où il va subir « rapetissement » et « malaxage », où l'on va, en réalité, prendre complètement possession de lui... « Je compris que je devais fuir (...). Il suffisait de vouloir. Mais je ne pouvais pas vouloir. Pour fuir, il faut une volonté de fuite, mais d'où tirer une telle volonté lorsqu'on remue les doigts de pied et qu'on change de visage dans une grimace de dégoût ? Je compris alors pourquoi nul ne pouvait fuir de cette école : tous les visages et toutes les attitudes anéantissaient les possibilités de fuite, chacun restait captif de sa propre grimace et bien qu'ils eussent tous dû s'enfuir, ils ne le faisaient pas parce qu'ils n'étaient plus ce qu'ils auraient dû être (...). Mais comment fuir ce que l'on est ? Où trouver une base de résistance? Notre forme nous pénètre, nous emprisonne du dedans comme du dehors » (page 54).
On ne peut mieux dire la puissance d'une institution qui s'empare des esprits au point que tout ce qui pourrait apparaître comme un acte de rébellion — une impertinence, un chahut, un refus — est récupéré comme une forme d'allégeance. On ne peut mieux décrire l'ambiguïté de cette bienveillance et de cette gentillesse compréhensive qui dissolvent tout point d'appui à la résistance. On ne peut mieux évoquer cette infantilisation que les règles de fonctionnement d'une institution imposent à ceux qu'elle soumet et la régression psychologique que cela entraîne. Car c'est bien ce qu'on voit dans nombre de classes : des êtres qui, par ailleurs, peuvent agir en adultes et qui sont là, alignés, à s'épier, à rire d'un événement insignifiant, à quêter un regard d'approbation du maître, à se satisfaire d'une tranquillité accordée un instant, à s'inquiéter d'être pris en faute, même quand ils n'ont rien à se reprocher.

4. O. Reboul souligne que « ce qu'il y a d'authentiquement bon dans un homme ne peut être choisi que par lui ; aucun éducateur ne saurait en décider à sa place » (*La philosophie de l'éducation*, PUF, Paris, 1977, page 118). Il marque ainsi la limite de l'entreprise de modelage qui entrerait en contradiction avec elle-même si elle s'arrogeait le droit absolu d'imposer par la contrainte le choix du bien. Le même auteur écrit ailleurs : « Imposer la raison revient à la nier. Imposer le savoir revient à détruire dans l'élève les conditions mêmes du savoir. Bien plus : à les détruire en soi-même. » (*L'endoctrinement*, PUF, Paris, 1977, page 182).

d'éduquer est quête d'adhésion libre ou il n'est rien. L'idée d'éducation implique l'idée de liberté, elle l'appelle comme une exigence interne et non comme un complément accessoire ou un appendice anecdotique. La perspective d'obtenir par le chantage, la séduction ou tout autre moyen qui rendent le refus de l'autre impossible ou seulement difficile, le comportement que l'on souhaite, devrait, en toute logique, révulser tout éducateur... surtout, précisément, si ce comportement apparaît conforme aux valeurs auxquelles il adhère. Car, croire en des valeurs, c'est croire qu'elles sont capables d'emporter l'adhésion d'autrui. Chercher à les imposer c'est, en quelque sorte, les rabaisser à ses propres yeux, les discréditer aux yeux des autres, en nier implicitement le pouvoir attractif, mettre en doute, en fin de compte, leur légitimité.

C'est pourquoi le pédagogue est contraint au « double jeu », ne pouvant abandonner sa mission d'instrumentation mais ne pouvant réaliser celle-ci que s'il promeut, en son sein, l'émancipation sans laquelle l'instrumentation elle-même perd toute valeur. Plus encore, sa tâche est bien d'armer le bras de cette émancipation, d'outiller autrui dans la perspective de sa libération et en acceptant que les armes qu'on lui a fournies soient un jour retournées contre lui. Homogénéisatrice dans sa dimension instrumentale, sa tâche est différenciatrice dans sa fonction d'émancipation... et l'articulation, de toute évidence, n'est ni une entreprise facile, ni une entreprise sans risque. Mais, après tout, si l'on ne veut pas que les enfants répondent, il vaut mieux ne pas leur apprendre à parler[5] !

---

5. Dans un beau petit livre qui va, me semble-t-il, sous une forme qui échappe à tous les académismes, au cœur des questions éducatives, J. BEILLEROT note que « le sujet de l'éducation est l'éduqué ; c'est pourquoi, dit-il, il y a une certaine liberté qui rend toute éducation aléatoire » (*Voies et voix de la formation*, Editions Universitaires, Paris 1988, page 59).
Et l'auteur montre quelles perversions menacent l'éducateur qui se débat dans une « double contrainte » infernale en cherchant à imposer à l'autre sa propre liberté. Toutefois, le mérite de J. BEILLEROT est de ne pas céder à un esthétisme du désengagement, mais bien de proposer de tenter une « aventure » éducative au sein de lieux de formation où l'on parvient « dans un rapport aux compagnons et aux maîtres » (page 87) à accéder à des savoirs émancipateurs : « Il y a formation si le savoir-faire autorise la création, si celle-ci donne du pouvoir » (page 22). Ce sont les conditions d'une telle formation que je tente d'énoncer plus loin, dans les chapitres 22 « De la culture scolaire » et 23 « Du transfert ».

12

La sanction

Au cœur de l'entreprise éducative, en reflétant parfois dramatiquement les tensions, la sanction disciplinaire revêt un caractère particulier en raison du silence que l'on entretient, le plus souvent, sur elle. Chacun l'utilise, mais on n'en parle guère comme s'il s'agissait d'une sorte de mal nécessaire auquel personne ne pourrait vraiment déroger et auquel, pourtant, il conviendrait de recourir plus ou moins fréquemment, mais toujours dans la clandestinité... En réalité, le secret qui l'entoure pourrait bien être précisément l'expression maladroite de ce qui en constitue le statut paradoxal : la sanction est, sans doute, inévitable en éducation, mais n'est tolérable que dans la mesure où l'on ne s'y résigne qu'avec « mauvaise conscience ».

Dans la part de dressage et de conformisation qui est constitutive du projet d'éduquer, la sanction peut apparaître, au fond, comme le prolongement naturel des exigences imposées par la conception culturelle dominante de la vie collective : on sanctionne l'enfant parce qu'il manque de respect au vieillard dans une société où l'enfant représente l'inexpérience et le vieillard la sagesse ; que les valeurs s'inversent, que l'enfant soit considéré comme incarnant l'avenir et le vieillard l'obsolescence et le sens de la sanction s'inversera, en même temps, évidemment, que ses modalités en seront modifiées. De même, on sanctionne l'élève qui s'exprime bruyamment en classe et manifeste son existence par des activités de toutes sortes, dans une institution où le silence et la conformité sont requis par le modèle implicite de l'apprentissage qui est mis en œuvre ; dans un autre cadre, où l'on valoriserait l'expression de l'originalité de chacun, où l'on considérerait l'apathie comme un manque d'énergie, de curiosité et d'initiative, c'est l'élève trop « sage » qui serait sanctionné. La sanction sanctionne toujours l'écart à la norme admise, l'infraction à la règle du jeu imposée. En ce sens, elle a une fonction intégrative par excellence : on menace de la sanction pour solliciter la soumission ; on exécute la sanction en espérant, par là, faire entrer le récalcitrant dans le rang. Le fait d'ajouter ou de penser secrètement « c'est pour ton bien » n'est que le signe de la conviction que l'éducateur a de la légitimité des normes sociales auxquelles il adhère. On imagine mal, d'ailleurs, un éducateur qui sanctionnerait quelqu'un en croyant qu'il ne lui rend pas service et avouerait que, quand il punit, « ce n'est pas pour son bien ». On l'imagine mal... ce qui ne veut pas dire que ce n'est pas parfois le cas, que la sanction n'a pas souvent pour vocation première de soulager, rassurer ou, simplement, faciliter la vie de celui qui sanctionne. Mais la sanction n'est alors qu'une sorte de scorie éducative, elle témoigne simplement de notre situation incarnée et du fait que — pour beaucoup d'entre nous, tout au moins — nous ne sommes pas des saints.

Originellement, donc, la sanction est bien un instrument de conformisation. Mais elle s'est toujours voulu aussi, et simultanément, un moyen de promouvoir et de reconnaître l'émergence d'une liberté. Sanctionner, c'est bien, en effet, attribuer à l'autre la responsabilité de ses actes et, même si cette attribution est constitutivement prématurée, même si elle est, *stricto sensu*, au moment où elle est faite, un leurre — puisque l'enfant n'est précisément pas déjà éduqué — elle contribue à son éducation en créant chez lui progressivement cette capacité d'imputation par laquelle sa liberté se construit[1]. Celui qui a commis la faute n'aura peut-être pas agi de son plein gré, il aura peut-être été le jouet de l'influence de son entourage ou, simplement, de ses impulsions... mais le fait de lui attribuer la responsabilité de ses actes le mettra, en quelque sorte, en situation de s'interroger progressivement sur ceux-ci et d'en être, de plus en plus, le véritable auteur. Plus radicalement, peut-être, en anticipant une situation sociale future on anticipe le sujet libre et on lui permet d'advenir.

Refuser de sanctionner peut ainsi apparaître comme l'expression d'un déni de légitimité de ses propres valeurs sociales et morales en même temps qu'une récusation de son adultité et l'interdiction assignée à l'autre de revendiquer la responsabilité de ce qu'il fait. Dans cette perspective, la sanction assumerait parfaitement la tension, constitutive de l'éducation, entre conformiser et émanciper.

D'où vient alors que le malaise subsiste au point que la honte d'avoir puni s'ajoute parfois au secret de la punition ? C'est que nous savons le poids de l'irréversible, l'impossibilité de revenir en arrière et

---

1. C'est P. Moreau, à partir de sa lecture des écrits de Kant sur l'éducation, qui m'a le plus convaincu du fait que la sanction, à travers l'imputation de l'acte au sujet, était à la fois une reconnaissance et une formation de sa liberté (*L'éducation morale chez Kant*, Le Cerf, Paris, 1986). Il laisse cependant de côté l'interrogation sur la légitimité de cette sanction en situation et sur la part de responsabilité de l'éducateur dans l'échec éducatif ; or le raisonnement effectué pour l'éduqué doit valoir pour l'éducateur... mais qui peut sanctionner l'éducateur — c'est-à-dire reconnaître sa liberté — pour ses erreurs éducatives ?

la gravité des blessures qu'une injustice peut laisser derrière elle. Nous savons que, en éducation, un destin peut basculer à bien peu de choses, à une phrase maladroite et instantanément oubliée par celui qui la prononce, à un geste excessif, à une sanction qui n'était pas méritée. Nous savons, aussi, qu'on n'efface rien dans l'histoire de l'autre et que la punition qui n'est pas méritée peut prendre pour lui, à notre insu, des dimensions tragiques. Nous pressentons, enfin, bien des dérapages possibles : même si on laisse de côté les cas — moins rares qu'on ne le croit — où l'on met en question l'intégrité physique et psychologique d'un sujet, où la sanction fait exactement ce qu'elle prétend sanctionner, où l'humiliation génère le découragement, voire la désespérance sur soi, quand on prétend, au contraire, fortifier sa liberté... on sait bien, au fond de nous-même, que la sanction a un caractère inéluctablement arbitraire. J'ai écrit « inéluctablement » parce qu'il ne s'agit pas là d'un défaut que la vigilance pourrait permettre d'éradiquer complètement. Il s'agit, encore une fois, du statut même de l'action éducative, de l'impossibilité radicale, en face d'un échec d'éducation, de l'attribuer exclusivement à la responsabilité de l'éduqué en dégageant complètement celle de l'éducateur[2], de l'aveuglement auquel nous sommes condamnés sur ce qui se trame réellement dans la conscience d'autrui. Une nouvelle fois, nous butons sur le même obstacle : nous ne pouvons pas punir sereinement parce que nous ne sommes pas Dieu, que nous pilotons toujours l'éducation au juger, à partir de ce que nous voyons — qui est toujours partiel — et de ce que nous inférons de ce que nous voyons — qui est toujours subjectif. L'enfant sait d'ailleurs cela et ne supporte la sanction, ne la vit comme une aide à la construction de sa personne, que quand elle émane de quelqu'un qui, dans l'instant qui suit, s'interroge discrètement et sans affectation sur la légitimité de son geste. En revanche, il se durcit et récuse l'aide de celui qui se donne comme l'incarnation de la toute-puissance et de la certitude du vrai. L'enfant, toujours plus lucide qu'on ne le croit, ne reconnaît pas comme un éducateur possible celui qui se prend pour Dieu, sans en avoir — il le découvre vite — toutes les qualités[3].

---

2. Saint AUGUSTIN, dans ses *Confessions*, nous alerte précisément sur le sentiment d'injustice que peut ressentir l'enfant quand il est puni et pressent la responsabilité de l'adulte ou bien quand on lui reproche des actes qu'il sait imputables aussi à ses éducateurs : « J'aimais à jouer et à badiner et mes maîtres m'en châtiaient quoiqu'ils en fissent autant de leur côté, puisque ce que les hommes faits appellent les affaires ne sont que de véritables badinages » (Livre I, chapitre IX, 15).

3. PESTALOZZI, dont l'œuvre marque, selon M. SOETARD « la naissance de l'éducateur » (*PESTALOZZI ou la naissance de l'éducateur*, Peter Lang, Berne, 1981), illustre

La position éducative est donc particulièrement difficile : elle réside dans l'acceptation d'actes que l'on sait, à la fois, nécessaires et arbitraires et que l'on ne peut effectuer qu'avec la conviction de l'utile et l'hésitation du légitime. C'est même, vraisemblablement, dans cet espace précaire entre l'utile et le légitime que s'immiscent, pour l'éducateur, l'inquiétude éthique et, pour l'éduqué, quand il le pressent, cette interrogation irréversible sur le monde et sur soi que l'on peut nommer la conscience.

---

admirablement dans la *Lettre de Stans* (Editions du Centre de documentation et de recherches Pestalozzi, Yverdon, Suisse, 1985) les conditions dans lesquelles l'enfant peut accepter la punition. On se souvient que PESTALOZZI se voit confier, après qu'une expédition militaire eut durement éprouvé la ville de Stans en 1898, une centaine d'orphelins avec mission de pourvoir à leur éducation. Il s'agit là, comme l'explique M. SOETARD, d'« une situation pédagogique limite, qui va permettre à PESTALOZZI, tandis qu'il travaille à la frontière de l'humain, de nous rendre immédiatement sensible le fond de sa démarche pédagogique, son pouvoir d'humanisation à partir d'une situation où l'homme est proche de la bête » (Introduction, page 11).
Dans ce cadre particulièrement difficile il cherche, en effet, à construire une communauté éducative solidaire, vivant avec intensité et parfois dramatiquement la nécessité de contraindre quand il voudrait plutôt susciter des libertés. Ainsi, face à ceux qu'il appelle ses « petits mendiants » et dans la situation de détresse matérielle où ils se trouvent, les principes qui bannissent les châtiments corporels lui paraissent bien dérisoires et réservés « lorsqu'on a affaire à des enfants heureux et à un environnement favorable » (page 37). Il n'en justifie pas, pour autant, n'importe quelle sanction et insiste sur le fait que ce qui la rend tolérable — et, peut-être efficace — c'est « l'ensemble de l'attitude (de l'éducateur) telle qu'elle se manifeste dans sa vérité chaque jour et à chaque heure devant leurs yeux » (*ibid.*). La « vérité » c'est, ici, la finitude, l'aveu de son imperfection, le fait de se découvrir vulnérable et d'exercer le pouvoir qu'impose la situation et son statut sans, pour autant, prétendre à l'infaillibilité ni à la maîtrise absolue de tout et de tous. « Ainsi, dit PESTALOZZI, faisais-je tout pour que, dans tout ce qui pourrait éveiller leur attention ou susciter leur passion, ils puissent voir clairement pourquoi j'agissais et comment j'agissais » (page 39). Mais il doit bien pressentir l'invraisemblance du projet et l'impossibilité de l'entreprise. Peu importe, après tout ; car ce n'est pas ici la transparence qui opère mais la présence de l'interrogation, c'est moins le contenu de l'explication que la brèche révélée par l'effort d'expliquer. En d'autres termes, l'enfant n'accepte la sanction et celle-ci ne le fait progresser que s'il sait que l'adulte s'interroge sur elle ; ce n'est que par là qu'elle devient occasion d'une « transaction éducative » et ne se réduit pas à l'expression d'un simple rapport de force. A quelques siècles de distance, c'est peut-être ce que confirme d'ailleurs A.S. NEILL qui — si l'on veut bien regarder Summerhill de près — sanctionne plus qu'il n'y paraît mais précise : « Ce que vous faites à l'enfant n'a pas d'importance, c'est la façon dont vous le faites qui en a » (*Libres enfants de Summerhill*, Maspero, Paris, 1972, page 134). C'est sûrement, me semble-t-il, parce que ce que nous faisons est inséparable de la manière dont nous le faisons ; parce que l'éthique n'est pas un « plus », isolable de l'action elle-même, mais ce qui la travaille de l'intérieur et constitue sa dimension véritablement humaine.

13

Lutte d'influences

L'éducation, croit-on parfois, serait plus facile si elle ne mettait aux prises, dans un face à face bien repérable, que l'influence d'un éducateur et la conscience d'un sujet ; ou, tout au moins, si l'ensemble des éducateurs d'un sujet — parents, enseignants, amis, environnement culturel et médiatique — exerçait de concert une influence homogène sur lui. Mais c'est oublier les contradictions sociales inévitables ; c'est oublier, surtout, à quel point l'enfant, et l'adulte lui-même, pour autant qu'ils sont « objets » d'éducation, représentent de terribles enjeux pour des influences contradictoires. L'histoire de l'éducation est, à cet égard, tout à fait significative : on y voit les forces sociales du moment, les courants idéologiques en présence, les groupes de pression de tous ordres, se disputer le droit d'assujettir les enfants et d'organiser les institutions qui le leur permettent. C'est, par exemple, au XIXe siècle, l'Etat qui, persuadé de représenter la seule légitimité éducative possible, organise, derrière la bannière de la laïcité, une machine de guerre contre l'influence familiale assimilée au culte des particularismes, à l'affectivité débordante, à la superstition et à l'inégalité. Ce sont les familles chrétiennes — à peu près à la même époque et encore, sous des formes différentes, aujourd'hui — qui, sous l'étendard de la liberté de l'enseignement, veulent combattre l'influence de ceux à qui elles reprochent, sous couvert de l'idée de progrès et du mythe de l'universalité de la raison, de chercher à s'emparer de l'âme de leurs enfants. Ce sont les militants régionalistes qui, au nom du respect des différences et des identités culturelles, luttaient, il y a quelques années encore, contre une instruction homogénéisante et revendiquaient le droit à un enseignement dans la langue régionale et sur des objets culturels spécifiques. C'était, il y a peu de temps, les idéologues de l'émancipation scolaire qui demandaient aux enseignants de combattre pied à pied l'influence des médias accusés de chercher à séduire la jeunesse par de démagogues et dangereux procédés. C'était hier les représentants du monde économique qui contestaient le pouvoir des professeurs, leur goût immodéré pour un enseignement général prolongé, les fausses espérances qu'ils donnaient à la jeunesse en la poussant vers des diplômes dérisoires au lieu de les confier, le plus tôt possible, aux entreprises, seules capables de les former vraiment. Ce sont, aujourd'hui, les mêmes qui exigent parfois le contraire !... Et chaque revendication nouvelle ne se substitue pas systématiquement aux précédentes mais, bien souvent, au contraire, les réactive ; à tel point que, aujourd'hui, entre l'Etat et les familles, les médias et les entreprises, les associations, les religions et les partis, les régions et les cultures de référence, la prérogative éducative est durement disputée.

Il n'est pas question pour moi, ici, de dénier le droit à chaque éducateur d'exprimer ses propres finalités, ni de lui interdire d'argumenter ses conceptions de la culture et de l'apprentissage, de les confronter à celles de ses partenaires afin d'en examiner la portée et la validité ; c'est même là son plus élémentaire devoir. Mais la tentation est grande de considérer l'éducation comme l'entreprise qui consiste simplement à substituer en autrui sa propre influence à celle des autres. L'éducateur se heurte toujours, en effet, dans la réalisation de son projet, à ce qu'il prend, à tort ou à raison, pour les effets néfastes de ses concurrents et qu'il considère comme des pesanteurs dont il faut absolument délivrer le sujet. Le « libérer », c'est alors, à ses yeux, éradiquer les traces de l'influence d'autrui qu'il nomme, selon les cas, superstition, illusion, erreur ou errance. On peut d'ailleurs soupçonner, à cet égard, toutes les méthodes pédagogiques dont on prétend qu'elles ont pour objectif l'accès à la liberté de penser du sujet : ainsi l'« esprit critique », si prisé des pédagogues du début du siècle, n'était-il pas une récupération en sous-main de l'adolescent dans le camp du rationalisme expérimentaliste, qu'il s'agissait de renforcer contre l'influence du « parti religieux », tout autant que le moyen de lui permettre d'accéder librement à des valeurs personnelles ? De la même manière, l'insistance sur l'importance de la méditation puis, plus tard, de la créativité, n'est-elle pas, de son côté, un effort pour arracher l'enfant au pouvoir de la seule rationalité discursive et tourner son regard vers d'autres valeurs ? Et l'on pourrait vraisemblablement faire la même analyse à propos de la plupart des outils pédagogiques dont la visée émancipatrice n'a jamais cette pureté cristalline annoncée et témoigne bien souvent de l'intention cachée d'annexer.

Il reste que, quand on n'y parvient pas, quand on se surprend à échouer parce que l'autre nous résiste, alors grande est la tentation de considérer la part d'influence qui, en l'autre, nous échappe comme sa part de liberté. Ne pouvant l'asservir à ce que je crois être, à tort ou à raison, la condition de son émancipation, je considère qu'il s'émancipe parce que quelqu'un d'autre que moi dicte en lui d'autres valeurs, d'autres attitudes, d'autres comportements...

Quiconque, en effet, a cherché à exercer un pouvoir éducatif s'est heurté inévitablement à de vieilles habitudes, à ce qu'il nomme souvent des préjugés, à ce qu'il perçoit comme des entraves naturelles, psychologiques ou sociales à son activité émancipatrice. L'éducateur — et c'est là son drame — n'arrive jamais « le premier », sur un terrain vierge, dans un espace où rien ne se serait passé ; il y a toujours déjà eu « de l'histoire », puisque l'autre, même aux premiers jours de la vie, existe déjà hors de lui et qu'il ne peut s'en prétendre l'absolu créateur. Il est tenté, alors, de croire que les résistances ainsi rencontrées, dans la mesure où il ne parvient pas à les vaincre, représentent précisément cette liberté qu'il cherche à promouvoir. Peut-être, d'ailleurs, l'éducateur préfère-t-il secrètement que le sujet lui résiste parce qu'il est la proie de l'influence de l'autre ? La chose, à tout prendre, est moins inquiétante : il vaut mieux se trouver confronté à une résistance qui émane de l'exercice d'un autre pouvoir, dûment identifié, plutôt que d'affronter une liberté nécessairement imprévisible, échappant à toute analyse et pour laquelle je suis dans l'impossibilité de désigner un coupable. C'est qu'il y a, dans l'émergence d'un sujet, quelque chose comme une récusation radicale de toutes les influences et qui peut légitimement apparaître comme une trahison : l'autre y fait voler en éclats, d'un coup, tous les cadres dans lesquels on voulait l'enfermer... J'aurais préféré, sans doute, qu'en échappant à moi il soit récupéré par quelqu'un d'autre, cela m'aurait laissé une petite chance de le reconquérir. Mais une émancipation qui n'est, d'aucune manière, un assujettissement me place en face d'une faille, d'une rupture, d'un mystère qui m'interdisent presque tout espoir de récupération future. Comment s'étonner alors que l'émergence d'une liberté soit si difficile à accepter ? Que l'on préfère constater la résistance de « l'être-là » plutôt que de susciter la résistance de « l'être-contre »[1] ?

---

1. En tentant d'écouter la parole des élèves, F. Imbert (*Si tu pouvais changer l'école*, Le Centurion, Paris, 1983) observe que ceux-ci demandent fréquemment et avec insistance « l'accroissement du nombre des maîtres » (page 195)... Bien sûr, ils ajoutent le plus souvent : « Il faudrait qu'ils se mettent d'accord » (page 196). Mais F. Imbert considère que « tout se passe comme s'il (l'élève) se donnait, en quelque sorte, après l'assurance formulée de son besoin de maître, les moyens d'une désaliénation transférentielle ». Aux captations et fascinations qui se trament dans les relations duelles, l'enfant opposerait la diversité des points d'ancrage qui permet « la diversité des attaches libidinales » (*ibid.*). L'existence d'une équipe plurielle d'enseignants et d'intervenants dans l'école et, plus généralement, dans l'éducation, pourrait ainsi introduire, comme le souhaite l'auteur, du « jeu » dans les dispositifs institutionnels, du « jeu » où puisse s'immiscer un sujet (page 230).
J'ai cru, pour ma part, longtemps, qu'il en était ainsi et cette hypothèse a même été,

pour moi, fondatrice, pour une part, de ce que j'ai nommé l'« école plurielle » (expression que j'ai employée dès ma thèse, en 1983) et de ce que j'ai tenté de mettre en œuvre dans l'expérimentation pédagogique que j'ai animée à Lyon pendant dix années. Il me semble cependant aujourd'hui que la diversité des pôles identificatoires, si elle est une condition nécessaire de l'émergence d'un sujet (la pluralité de paroles des adultes permettant à l'enfant d'oser la sienne et de développer ce que F. IMBERT nomme des « stratégies de résistance »), n'est pas une condition suffisante. Les rivalités entre les adultes provoquent parfois, en effet, une surenchère dans la séduction dont les enfants peuvent ne pas être dupes mais à laquelle ils cèdent néanmoins. Ainsi, au lieu de susciter l'émergence de personnes libres capables de se dégager de la captation les adultes, les éducateurs risquent d'encourager les identifications bilatérales en se répartissant en quelque sorte les enfants et en se désignant réciproquement leurs « fidèles »... peut-être parce que, là encore, on préfère que l'enfant soit récupéré par un autre plutôt que d'échapper à toute influence.

La pluralité des influences éducatives — dans laquelle on peut voir légitimement la seule forme possible de laïcité — ne dispense donc pas, me semble-t-il, de l'interrogation éthique de chaque éducateur sur les moyens qu'il offre à l'éduqué pour s'émanciper de toute influence et non pas seulement osciller entre plusieurs d'entre elles.

14

La modestie de l'universel

Sans aucun doute tout éducateur est-il porteur de valeurs. Et, sans aucun doute, l'affirmation même d'une valeur comporte-t-elle quelque prétention à l'universalité. Qu'est-ce qui, en effet, « vaut quelque chose » au point que je veuille le faire partager aux autres si ce n'est, précisément, ce dont je pense que cela dépasse mon intérêt personnel, mes besoins du moment, ma situation contingente et provisoire ? S'il est une valeur que donne à lire l'activité éducative, c'est bien l'exigence même de la valeur, de quelque chose qui mérite que l'on y éduque les hommes, de ce que plus personne n'ose encore appeler « le bien », mais qui est toujours postulé, chaque fois que l'on suggère — et nous passons notre temps à le faire — où se trouve « le meilleur ».

Ce terme, d'ailleurs, a un caractère paradoxal très significatif : car « le meilleur » est, à la fois, modestement, « ce qui est un peu mieux que le moins bon » et, prétentieusement, ce qui est « le mieux parmi tout ce qui est bon ». Qu'on préfère, alors, parler de « meilleur » plutôt que de « bien » suggère peut-être que l'on se résigne à ce que le rapport de force régisse la sphère des valeurs, tout en espérant y triompher en s'imposant comme le plus efficace. On n'ose plus se prétendre universel mais on se revendique le plus fort, perdant ainsi, sur les deux tableaux, tout ce qui caractérise précisément la valeur dans le registre éthique, le fait qu'elle se veuille universelle mais se sache faible et particulièrement vulnérable.

Car ce serait une étrange éducation que celle qui renoncerait d'emblée à l'horizon possible d'un universel où s'accorderaient les hommes. Etrange parce qu'elle ruinerait la possibilité même de continuer à éduquer, bornerait artificiellement un processus qu'elle aurait engagé, décrèterait artificiellement que certains seront exclus de ce qu'elle aurait pourtant désigné comme une nécessité. Le projet d'éduquer est pour cette raison, et constitutivement, projet d'universalité, d'humanité rayonnante et galopante où le processus de transmission dépasse de loin, dans sa dynamique, la réussite de la chose transmise. Dès lors que l'on se veut, pour un seul des humains, porteur d'émancipation et que l'on est convaincu de détenir les moyens — ou même seulement quelques petits moyens — de cette émancipation, il est légitime de vouloir l'étendre à tous. Cette volonté est même le seul signe possible du crédit que l'on accorde à son propre idéal. Elle est, plus profondément encore, le gage que je ne me paye pas de mots et que c'est bien à l'émancipation de tous que je travaille et non à la promotion dominatrice d'une élite. Ce que je nomme « émancipation » et cherche à mettre en œuvre, ici et maintenant, avec ceux qui me sont confiés, je dois toujours aussi, et simultanément, le vouloir pour tous. Si je parviens, *in extremis*, à placer une frontière au-delà de laquelle mes principes n'ont plus cours, sans aucun doute c'est que ce n'est pas d'émancipation qu'il s'agit mais bien d'une forme d'aliénation. La seule existence d'un exclu discrédite mon projet éducatif puisqu'elle le révèle comme organisant ou laissant s'organiser entre les hommes des rapports de domination... Qu'un éducateur veuille donc éduquer à des valeurs qu'il juge universelles et éduquer tous les hommes à ces valeurs, il ne faut ni s'en étonner ni l'en blâmer, car c'est bien là, pour lui, à tous points de vue, la moindre des choses[1].

Toute la difficulté est que la prétention légitime à l'universalité ne se mue pas en imposition aveugle de l'universel. Et peut-être serait-on plus proche, ici, de l'authenticité éducative si l'on substituait au terme de « prétention », et à son cortège d'images triomphalistes, celui de « quête », aux connotations sans doute plus religieuses mais aussi plus modestes. On ne soumet pas les autres à l'universel, on le leur soumet. Et cela fait une différence considérable. Ce n'est pas moi qui, de l'extérieur, peux dicter aux autres — fussent-ils « mineurs » — la norme de leur émancipation, je ne peux que leur proposer de se reconnaître à travers ce que je leur dis et accepter leur verdict.

Sans céder au caractère misérabiliste de la métaphore, peut-être même pourrait-on renouer avec l'image du « pédagogue mendiant », non pour dénier son pouvoir mais pour bien en marquer le sens ? L'éducateur n'a pas à abdiquer de ce qu'il croit et veut, mais c'est tou-

1. JACOTOT, repris par J. RANCIERE dans *Le maître ignorant* (Fayard, Paris, 1987), explique bien, me semble-t-il, à quel point la création artistique suppose la postulation de l'« égalité de l'autre ». « Il n'y a pas, dit RANCIERE, d'hommes à grandes pensées, seulement des hommes à grandes expressions » (page 118), c'est-à-dire des hommes qui savent proposer aux autres de se reconnaître eux-mêmes à travers ce qu'ils leur disent. « Nous savons d'abord par lui (dans le texte, RANCIERE, après JACOTOT, évoque RACINE) que nous sommes des hommes comme lui (...). Il nous reste à vérifier cette égalité, à conquérir cette puissance par notre propre travail » (pages 119 et 120). Et J. RANCIERE ajoute plus loin : « Pour unir le genre humain, il n'y a pas de meilleur lien que cette intelligence identique en tous » (page 122).

jours à l'autre de répondre s'il le croit ou le veut, de donner son assentiment, d'adhérer ou de refuser. Dire cela, quoi qu'en pensent certains, ce n'est pas sacrifier l'éducation à la démagogie, c'est placer l'éducation sur une ligne de crête sur laquelle il est, certes, difficile de tenir mais qui est le seul chemin possible... le seul passage pour une universalité qui ne soit ni sacrifiée dans un relativisme absolu, ni imposée dans une conformisation psychologique ou institutionnelle. Ni se soumettre aux caprices des individus et aux sous-cultures éparses, ni les soumettre autoritairement à une loi extérieure, mais leur soumettre, à travers mes savoirs, mes attitudes, mes valeurs, un modèle où ils puissent reconnaître le meilleur d'eux-mêmes et, plus encore, la possibilité de se dépasser.

Et que l'on ne croie pas qu'il s'agit ici d'idées générales et généreuses à mille lieues de la pratique pédagogique quotidienne... car tout cela peut s'incarner chaque jour et dans les activités les plus banales : chaque fois que, par exemple, je présente à mes élèves un poème, un roman, un spectacle de théâtre ou un film qui m'apparaît porteur de ce qui constitue, pour moi, le sens même de l'humain et réfracte ses paradoxes, ses contradictions et ses espoirs... chaque fois que je propose un objet culturel au regard de l'autre, que je m'efforce de révéler dans cet objet ce qui pourrait avoir sens pour lui... chaque fois que je mets toute mon énergie à imaginer les moyens pour qu'il s'y retrouve et puisse dire en le découvrant : « mais c'est de moi qu'il s'agit ici ». Et ce n'est pas parce que l'objet est considéré comme un « chef-d'œuvre » que l'autre est en obligation de révérence à son égard, mais bien plutôt parce que l'on a réussi avant moi la tâche difficile d'en faire partager le sens qu'il est devenu un chef-d'œuvre ; et c'est parce que moi, aujourd'hui, ici, face à des élèves concrets englués dans les clichés d'une pseudo-culture, empêtrés dans ce qui obscurcit et sépare, je réussis cette tâche à mon tour, qu'il a quelque chance d'être encore, pour quelque temps, un « objet vivant », une trace d'humanité existant ailleurs et autrement que dans les définitions des encyclopédies[2].

Mais il ne faudrait pas croire que cette expérience est réservée à la littérature et à toutes les formes d'expression artistique : le plaisir de

2. B. DUBORGEL, qui connaît aussi bien l'histoire de l'art que l'imaginaire enfantin, montre à partir de ses recherches sur l'éducation artistique (*Imaginaires à l'œuvre*, Gréco, Paris, 1989), comment on peut échapper à la fois à une pédagogie démiurgique qui « structure et modèle l'être à former en regardant moins celui-ci que les modèles qu'on lui tend » (page 18) et à un puerocentrisme qui refuse d'intervenir sur l'enfant et ne se résigne pas « à lui faire convertir et restructurer ses réalisations en référence à l'altérité des modèles » (page 30). Il s'agit, explique-t-il, de « mettre en dialogue l'art enfantin avec d'autres productions humaines de l'histoire de l'art et de l'art contem-

comprendre une démonstration scientifique, d'explorer toutes les hypothèses possibles en face d'un problème, d'imaginer toutes les objections, de trouver un chemin dans la complexité des choses... tout cela aussi, chaque fois que le maître parvient, par son ingéniosité, à le faire partager à ses élèves, il les amène à la frontière de l'universel. Et la joie de comprendre une autre langue ou un texte philosophique, de maîtriser la conception et la fabrication d'un objet technique peut, elle aussi, si l'enseignant renonce à chercher à l'imposer par l'exhortation, mais sait en proposer le partage, agrandir l'humanité en chacun et construire l'universalité entre tous. Le secret d'une réussite possible serait peut-être, alors, de ne pas arriver imbu de ses valeurs, décidé à les imposer coûte que coûte, mais plutôt déterminé à chercher ensemble avec nos élèves — et l'on pourrait dire la même chose pour nos enfants — quelles expériences pourraient leur permettre d'en éprouver la portée et, s'ils le décident, de les faire leurs. Le secret, finalement, c'est que l'universel, pour avoir quelque chance de ne pas générer la contrainte et la violence, de ne pas se laisser enfermer dans le cycle infernal du diktat et de la révolte, doit savoir se faire modeste, ce qui ne veut pas dire renoncer à sa contagion, mais ce qui impose de soumettre celle-ci à l'acceptation d'un autre que l'on respecte assez pour prendre la peine de le convaincre avec toutes les forces de l'imagination dont on est capable.

En d'autres termes, je crois que la démarche pédagogique consiste à soumettre aux autres mon universel pour qu'il puisse — peut-être, car rien n'est jamais ici, par définition, assuré *a priori* — devenir notre universel. Le leur soumettre avec toute la conviction dont je suis capable, en cherchant à l'argumenter dans la rigueur la plus absolue, en m'interdisant les procédés qui, d'une manière ou d'une autre, contraindraient l'accord de l'autre, en visant une authenticité qu'il n'est sans doute pas nécessaire de croire pouvoir atteindre pour tenter d'y parvenir... En ce sens, l'universalité ne précède l'éducation que comme anticipation et c'est l'éducation qui peut permettre, dans une démarche jamais achevée, de l'actualiser progressivement[3].

porain » (page 37) afin que s'ébauchent des « échos, analogies, correspondances ponctuelles, complicités lointaines » (*ibid.*). Il s'agit d'organiser un travail de cohabitation progressive avec les référents culturels au contact desquels la création du sujet se trouve facilitée, inspirée, parfois complice mais jamais soumise. Il s'agit d'une mise à l'épreuve réciproque de la culture et de l'expression des sujets qui est bien la seule forme possible de la « transmission », la seule qui soit créatrice d'humanité.

3. On doit à J. HABERMAS, me semble-t-il, d'avoir dépassé un dilemme dans lequel la pensée s'enfermait depuis de nombreuses années entre l'universalisme et le relativisme. On sait, en effet, les ravages d'une certaine pensée rationaliste occidentale qui tente

C'est pourquoi l'exigence éducative récuse tout à la fois l'universalisme dogmatique et le relativisme pragmatique. Elle récuse le premier parce que, en posant l'existence de l'universel comme une réalité extérieure aux personnes, *a priori*, à l'aune de laquelle il conviendrait de mesurer les intentions et les actions humaines, il génère toutes les

---

d'imposer de l'extérieur des normes à des êtres ou à des peuples en faisant valoir leur caractère universel. Cette forme de « colonialisme libérateur » a été dénoncée récemment, avec une rare virulence mais un talent certain, par P. FEYERABEND dans *Adieu la raison* (Seuil, Paris, 1989) où il affirme qu'« il n'y a aucune raison objective pour préférer la science et le rationalisme occidental à d'autres traditions » (page 338), ou même encore qu'« il devient très clair, d'après les réactions des membres les moins doués de la tribu, que les rationalistes, qui réclament à grands cris l'objectivité de la rationalité, ne font pas autre chose que d'essayer de vendre leur propre credo tribal » (page 343).
Mais on sait aussi, à l'inverse, que la tolérance relativiste peut couvrir d'un voile bienveillant des pratiques intolérables. A. FINKIELKRAUT l'a souligné avec insistance récemment dans *La défaite de la pensée* (Gallimard, Paris, 1987) : « Existe-t-il une culture où l'on inflige aux délinquants des châtiments corporels, où la femme stérile est répudiée et la femme adultère punie de mort, où le témoignage d'un homme vaut celui de deux femmes (...) ? L'amour du prochain commande expressément le respect de ces coutumes » (pages 128 et 129).
Les deux thèses, en réalité, sont à la fois justifiées et intenables, justifiées en ce qu'elles dénoncent, intenables en ce qu'elles annoncent : l'acceptation de la barbarie au nom du droit à la différence, l'éradication de la différence au nom du primat d'une culture à vocation universelle.
Or on trouve chez HABERMAS l'idée que l'universel n'est pas donné *a priori* et que personne n'en est détenteur, mais qu'il est nécessaire de le construire dans la confrontation et l'inter-argumentation. On ne part pas de l'universel pour l'imposer au particulier ; on ne se résigne pas non plus au scepticisme et à la division des personnes et des cultures, on tente de se soumettre ensemble à une discussion « vraie ». Cette tentative, d'ailleurs, n'est rien d'autre que la formalisation du projet même de toute communication : « Lorsque nous acceptons une discussion, nous supposons inévitablement une situation de langage idéale qui, du fait même de ses propriétés formelles, n'admet de toute façon de consensus que sur des intérêts universalisables » (*Raison et légitimité*, Payot, Paris, 1987, page 153). Dès que nous parlons à quelqu'un, nous devons, pour que cet acte ait un sens, présupposer la possibilité de nous entendre avec autrui. Le langage et la compréhension sont, pour HABERMAS, liés dans leur finalité même ; l'exigence d'universalité (et non l'universalité déjà réalisée) y est présente comme règle susceptible de fonder une socialité démocratique.
En d'autres termes, dans une confrontation, le bien ou la vérité n'est pas d'abord à rechercher dans l'un des deux « camps » (ce qui permettrait de se débarrasser de l'autre) mais dans les conditions et les modalités de l'échange. L'éthique est donc ici dans la communication, dans l'effort pour que celle-ci soit une confrontation entre des sujets et s'interdise l'argument d'autorité, l'intimidation, la menace ou la contrainte (pour plus de précisions sur ces thèses, on peut lire de J. HABERMAS, *Théorie de l'agir communicationnel*, 2 volumes, Fayard, Paris, 1987).

formes de colonialisme. Elle récuse le second parce que, en niant la possibilité d'un horizon universel où puissent se réconcilier les hommes, il entérine la loi de la jungle et laisse triompher la violence du plus fort. L'exigence éducative est celle d'un universalisme modeste, d'une universalité en quête d'elle-même dans l'entreprise éducative, par l'adhésion progressive et difficile de l'autre à des principes, des valeurs et des savoirs qu'il amène à revoir, aide à repenser par sa résistance même, et qu'il est seul, quoi qu'il en soit, à pouvoir accepter ou récuser. Le principe d'universalité, contenu dans l'intention pédagogique elle-même, ne peut se réaliser que dans l'activité éducative, quand l'épreuve de la rencontre fait naître l'espérance d'une convergence dans les balbutiements d'une liberté[4].

---

4. De nombreux auteurs s'accordent sur le fait que la finalité première de l'Ecole est bien de permettre l'accès à l'Universel. Mais beaucoup d'entre eux, tel C. KINTZLER, sollicitant CONDORCET, considèrent cet universel comme établi avant même que le projet d'enseigner soit constitué et récusent toute pédagogie au nom de l'évidence de la « transmission » : « On n'entre pas dans une salle de classe pour y faire une expérience de relations humaines, mais pour y acquérir quelque chose dont on a besoin comme homme et comme citoyen et qu'il n'est pas possible d'acquérir autrement » (C. KINTZLER, *Condorcet, l'instruction publique et la naissance du citoyen,* Gallimard, collection « Folio », Paris, 1987, page 192). Sans entrer dans une discussion détaillée de ces thèses, je voudrais souligner d'abord que l'accès à l'universel ne peut s'effectuer que si, simultanément, l'on propose des objets culturels et l'on organise des médiations en prenant appui sur des situations particulières. Argumenter l'universalité pour fermer l'école à son environnement et prôner la « clôture scolaire » revient à promouvoir une universalité du vide.

D'autre part, je crois, comme HABERMAS, que l'universalité ne peut être considérée *a priori*, préalablement à tout projet éducatif. C'est parce qu'on peut et qu'on doit enseigner une chose qu'elle devient universelle et non parce qu'elle a été décrétée universelle qu'on doit l'enseigner. L'universel ne précède pas sa communication, il est l'horizon qui donne sens à celle-ci. Il n'est pas une réalité-étalon à laquelle il faudrait confronter nos pensées pour décider de leur acceptabilité, il est ce qui est construit dans la confrontation de celles-ci pour autant que cette confrontation obéisse, selon l'expression d'HABERMAS, à une « éthique de la communication ». Nous sommes donc bien renvoyés ici au primat de l'éthique sur la culture — y compris, bien sûr, sur la culture occidentale des « droits de l'homme » qui ne doit pas bénéficier d'une sorte de droit absolu à ne jamais être interrogée sur elle-même. Nous sommes renvoyés, en fait, à l'interrogation éthique dans son essence même, c'est-à-dire à la question des conditions de possibilité de constitution d'un sujet. On est loin de l'« expérience de relations humaines » que dénonce C. KINTZLER ; mais on est tout aussi loin de la transmission magistrale d'une culture à des sujets dont la réceptivité est supposée et l'obéissance requise.

Aussi a-t-on tort d'opposer si souvent et si catégoriquement la culture et la pédagogie comme le fait, par exemple, M. HENRY (*La barbarie*, Grasset, collection « Biblio », Paris, 1987). Autant on peut approuver ses inquiétudes sur l'avenir de la culture qu'il considère, à juste titre, comme « l'humanité de l'homme » (page 198) ; autant on se demande pourquoi il lie la promotion de celle-ci à la disparition de tout effort pédagogique pour en organiser la promotion (voir pages 177 et suivantes). Même si je peux comprendre dans quels excès « pédagogistes » s'enracine une telle réaction, je me demande si cette invocation rituelle de la culture et cette négation radicale de la recherche des moyens de sa diffusion ne recouvre pas une étrange inquiétude : celle de voir celle-ci s'étendre peu à peu au-delà du cercle de ses élus traditionnels... Il y aurait là, en quelque sorte, un jansénisme latent, le petit nombre des élus garantissant la puissance de Dieu (et aujourd'hui des intellectuels ?) (Voir aussi, sur ce thème, le chapitre 26, « Du politique »).

15

L'exigence du meilleur et l'acceptation du pire

Il arrive parfois que des parents ou des enseignants tiennent pour gage de leur réussite le fait que leurs enfants ou leurs élèves fassent d'autres choix que les leurs et croient autre chose qu'eux. Mais, à regarder de près cette attitude, n'est-ce pas parce qu'ils ne disent pas vraiment ce qu'ils croient ou ne croient plus tout à fait à ce qu'ils disent ? Car quoi de plus légitime, au demeurant, que de chercher à faire partager ce que l'on estime être le meilleur ? Quoi de plus normal que de vouloir perpétuer, à travers une filiation familiale, intellectuelle ou militante, ce qui donne sens à notre existence et perdrait toute possibilité d'accéder à la valeur si nous nous résignions à ce que cela disparaisse avec nous ? La valeur, ai-je dit, me dépasse ou elle n'est qu'intérêt. La valeur, comme l'hospitalité, appelle le partage. Que donner qui honore le donneur si ce n'est le meilleur de ce qu'il a ? Et comment juger que c'est le meilleur si ce n'est, précisément, parce qu'il s'impose impérieusement qu'on le donne, parce que le garder pour soi serait une faute impardonnable, une injustice majeure envers l'humanité ?

C'est pourquoi — et il nous faut sans cesse le redire — personne ne peut reprocher à l'éducateur son désir de convaincre, d'entraîner l'adhésion et d'exiger le meilleur — ou, du moins, ce qu'il croit être le meilleur — de ceux qui lui sont confiés. En ce sens, l'exigence est la marque la plus haute de la solidarité ; la complaisance, elle, cache souvent le désintérêt, l'indifférence ou le mépris. Ce que j'aime, ce que je crois, ce qui exprime, pour moi, la forme la plus élevée de l'humain — le poème ou la théorie scientifique, l'objet technique ou le concept philosophique, la conviction militante ou la cohérence intellectuelle — je ne peux renoncer à le transmettre sans me trahir. Je ne peux renoncer à le mettre à l'épreuve de l'adhésion d'autrui sans déchoir à mes propres yeux et sans me discréditer aux yeux de ceux que je crois « respecter » ainsi[1].

Certes, je conçois tout ce que cette position peut avoir de choquant, tant elle va à contre-courant de tout un discours pieux sur la laïcité, l'objectivité, le refus du prosélytisme et de l'embrigadement. J'entends encore toutes les recommandations des grandes « consciences morales » du siècle dernier et du début de ce siècle sur l'impérieux devoir de neutralité, la nécessité de bien distinguer le registre des savoirs de celui des convictions, d'instruire sans relâche dans le premier et de ne jamais toucher au second... Mais je continue à croire que ces distinctions sont factices et peuvent être manipulées au point de devenir perverses. Y aurait-il des savoirs qui ne portent et que ne porte aucune conviction ? Pourrait-on enseigner un savoir sans avoir la certitude de son importance dans la formation des hommes ? Et le choix d'un savoir plutôt que d'un autre, des mathématiques plutôt que du latin, de l'éducation physique plutôt que de l'instruction religieuse, de la géographie plutôt que de l'astronomie, de l'informatique plutôt que de l'écologie, serait-il totalement neutre ? Ne renvoie-t-il pas toujours à une conception de ce qui constitue les qualités nécessaires pour la vie sociale, et, donc, à une certaine représentation de la socialité ?

Et, à travers un savoir donné, dans l'enseignement de connaissances qui peuvent apparaître exclusivement techniques, ne transmet-on pas toujours autre chose que ce que l'on prétend ? On n'a pas

---

1. C'est la limite des thèses de C. ROGERS que de sous-estimer la dimension de « transmission » en éducation. Elles attirent légitimement l'attention sur les conditions de cette transmission — empathie avec l'autre, authenticité avec soi-même et considération positive inconditionnelle — (voir, sur ces thèmes, l'ouvrage d'A. de PERETTI, *Pensée et vérité de Carl ROGERS*, Privat, Toulouse, 1974) et elles soulignent avec raison que « je ne m'intéresse qu'à des apprentissages qui exercent une réelle influence sur mon comportement » et que « le seul apprentissage qui influence réellement le comportement d'un individu est celui qu'il découvre lui-même et qu'il s'approprie » (*Liberté pour apprendre ?*, Dunod, Paris, 1973, page 152). Ce sont là, pour moi, des évidences mais qui semblent oublier que, selon la formule de D. HAMELINE, « on n'acquiert que ce qui ne vient pas de soi » (*La liberté d'apprendre — situation 2*, Editions ouvrières, Paris, 1977, page 321). En réalité, je me demande si C. ROGERS ne fait pas de la métaphysique avec de la méthodologie, ontologisant en quelque sorte le processus au point que celui-ci devient aussi le produit et que toute la culture s'anéantit dans la psychologie. Il n'y a que le sujet qui apprend ; c'est un fait incontournable. Mais il ne peut apprendre — au moins dans une perspective où l'on ne s'en remet pas à l'aléatoire le plus absolu — que ce que des éducateurs lui proposent, c'est-à-dire ce qu'ils considèrent comme digne d'être appris et qu'ils soumettent à sa « liberté d'apprendre ».... On peut se reporter, sur ce point, au chapitre 19, « Du contrat ».

manqué, ici ou là, de faire remarquer que les manuels scolaires les plus « objectifs », ceux qui se revendiquent les plus « laïcs » et les plus respectueux des personnes, utilisent des exemples, proposent des exercices dans les énoncés desquels on peut lire toute une conception de la famille, du pouvoir, des rapports sociaux, voire de l'Histoire et de l'Etat. On pourrait souligner, enfin, que la structure même d'une discipline scolaire comporte toujours des présupposés qui sont loin d'être tout à fait innocents : ainsi, une étude des exercices et problèmes de mathématiques donnés à l'école élémentaire ferait-elle apparaître un certain nombre d'implicites qui marquent plus efficacement les enfants de leur empreinte que les discours moralisateurs que l'on peut leur tenir par ailleurs... laisser entendre, en effet, que tout problème est mathématisable, que tout problème a été posé par quelqu'un et que, du moment qu'un problème est posé, c'est qu'il a une solution et une seule, voilà qui conditionne, sans aucun doute, des comportements sociaux ultérieurs !

C'est pourquoi, à l'illusion de la neutralité des savoirs et de la possibilité d'éduquer sans exercer d'influence sur ceux que l'on éduque, je préfère la reconnaissance sereine de la dimension nécessairement prosélyte de l'acte éducatif et la recherche déterminé des moyens que l'on peut offrir à l'autre pour se dégager des influences qu'il reçoit. A tout prendre, d'ailleurs, cette attitude me paraît même la plus « honnête » face à l'utopie objectiviste et neutraliste : étant donné que l'on ne peut échapper à l'usage de modèles idéologiques dans l'acte même d'enseigner, autant l'avouer sans détour et chercher ce qui permet de s'en émanciper, plutôt que de laisser croire à une indifférence qui risque de générer une subordination aveugle à ce qui sera perçu comme non questionnable.

Eduquer, c'est donc légitimement chercher à faire partager ce que l'on sait et croit. Mais une telle entreprise réserve bien plus de surprises qu'on ne pourrait le croire... assez, en tout cas, pour nous préparer, si on sait les accueillir, à un travail pédagogique systématique pour fournir à l'autre les points d'appui nécessaires à son émancipation.

Qui n'a vécu, en effet, le dérisoire de ces situations, quand l'éducateur s'enflamme à la lecture d'un texte et ne peut contenir son émotion, quand il s'émerveille devant la force et la clarté d'une démonstration, quand il se laisse emporter par le lyrisme de son incantation morale ou politique, s'adonne à l'agrandissement épique, convaincu de drainer derrière lui un auditoire en réalité tout entier occupé à d'autres préoccupations, fasciné par les pitreries d'un élève facétieux, fixant les déplacements d'une mouche au plafond, s'emparant d'un mot malheureux pour s'engouffrer dans la brèche et partir d'un grand rire, crevant d'un coup d'épingle le discours d'un maître qui se retrouve, alors, totalement seul et terriblement ridicule ? Qui n'a senti la fragilité de ses conceptions, de son savoir et de son activité didactique à la considération des résultats d'une évaluation ou à la récitation tristement répétitive d'un cours où l'on avait mis, pourtant, toute la force de sa conviction ? Qui n'a été tenté de céder au découragement face à des réactions imprévisibles, des choix invraisemblables, des provocations inutiles qui semblent réduire à néant tous les efforts que l'on a déployés ?

C'est alors que survient la tentation de se réfugier dans sa serre, nourrissant son autosatisfaction des déceptions rencontrées avec les autres, mettant ses désillusions au service de son narcissisme. Car, quand les valeurs qui nous portent et que l'on porte ne s'inscrivent plus sur l'horizon de l'universel, il ne reste plus guère que l'esthétisme auquel on puisse s'accrocher pour survivre et dans lequel on puisse espérer trouver encore quelques satisfactions. Et, si l'esthétisme favorise parfois la création artistique ou intellectuelle, s'il arrive même qu'il suscite le génie, il nous laisse — nous, les autres, les médiocres — avec les enfants sur les bras et la charge de leur éducation.

Il nous faut donc gérer à la fois l'exigence du meilleur et l'acceptation du pire ; il faut surtout que l'acceptation du pire ne nous fasse pas renoncer à l'exigence du meilleur. Proposer, avec toute la force de notre âme, ce que nous croyons être le mieux et consentir à ce que cela soit bafoué parce que l'autre se dérobe, nous agresse ou, plus simplement, plus tristement, nous ignore. Consentir que l'espace d'une liberté se dessine sous nos yeux, prenne des formes que nous n'avions ni souhaitées, ni prévues, en souffrir même pour ce que nous croyons plus encore que pour la blessure narcissique que cela nous inflige ; accepter l'épreuve mais sans la redoubler d'une approbation démagogique, sans rien renier de nos convictions, sans même cacher notre mécontentement. Consentir donc mais pas approuver. Tenir bon mais sans interdire[2].

---

2. Un des essayistes contemporains les plus brillants, J. BAUDRILLARD, dénonce, dans *La transparence du Mal* (Galilée, Paris, 1990), les faux consensus (comme le discours des Droits de l'Homme, « valeur pieuse, faible, inutile, hypocrite qui repose sur une croyance illuministe en l'attraction naturelle du Bien, sur une idéalité des rapports humains, alors qu'il n'existe évidemment de traitement du mal que par le mal », page 92), pour leur substituer le « théorème de la part maudite » selon lequel « tout ce qui expurge sa part maudite signe sa propre mort » (page 111) et au nom duquel nous devons assumer nos dérèglements, nos excès, nos étrangetés, nos emballements, pour échapper aux « paradis artificiels ».
Pour ma part, je ne peux pas suivre complètement J. BAUDRILLARD sur ce chemin,

Exercice périlleux et difficile où les pièges du mimétisme nous guettent à chaque pas : mimétisme de l'éducateur vis-à-vis de l'éduqué quand la renonciation à l'exigence se nourrit de la nostalgie d'une communication d'où toute dénivellation serait exclue et du secret espoir d'expier sa différence. Mimétisme de l'éduqué vis-à-vis de l'éducateur quand l'inquiétude devant l'échappée belle d'une liberté nourrit la violence des conventions et impose la grimace ou l'imitation. Et, dans ce jeu où le « même » menace sans cesse l'existence de l'Autre, on doit néanmoins exercer un métier, c'est-à-dire, inévitablement, postuler des régularités, disposer d'outils, maîtriser des techniques qu'il faut bien appeler didactiques.

---

sachant trop qu'il m'entraînerait — mais, sans doute, ne puis-je ici parler que pour moi — vers une sorte de position purement esthétique, ne disposant plus d'aucun critère stable pour guider mon action, tenant finalement à distance les êtres de chair et les situations concrètes pour m'interdire toute compassion... Il me semble, pourtant, que je peux entendre J. BAUDRILLARD quand il décrit « le mélodrame de la différence » et se demande : « mais où est donc passée l'altérité ? » Un certain discours sur la différence fonctionne bien, en effet, comme une réduction lénifiante de l'altérité dans une sorte de confiture universaliste qui peut représenter le moyen le plus sûr et le plus pervers de l'assimilation. Il y a bien une manière de reconnaître, voire d'exalter, la différence pour récupérer l'Autre en sous-main et conclure sur son « étrange parenté »... qui autorise, finalement, à le traiter comme le Même.
Or l'éducation, justement, si elle est effort pour promouvoir l'altérité, est toujours tentée de la réduire, ne serait-ce qu'en l'expliquant (« je comprends bien, au fond, que tu sois si différent »). Elle ne perçoit pas toujours — mais l'adolescent le ressent et le refuse souvent par toutes les fibres de sa peau — que cette récupération est la pire des violences. En réalité, le risque éducatif, assumé jusqu'au bout, c'est — aussi provocatrice que puisse paraître ma formule — le risque de l'autre irrécupérable.
Mais la reconnaissance du droit à être autre — et c'est là où je ne peux suivre J. BAUDRILLARD — ne peut se fonder que sur l'adhésion, implicite ou explicite, à une « éthique de l'égalité » : égalité, précisément, de droit à l'altérité. Sans cette éthique minimale, on risque bien de ne laisser surgir l'Autre que sous la contrainte, dans les cris et la violence dans la souffrance surtout, moins esthétique mais plus terrible que « le Mal ».... Sur ces questions, on peut se reporter au chapitre 25, « Des valeurs ».

16

L'obstination didactique et la tolérance pédagogique

Il y a, dans la didactique, une sorte d'obstination qui est peut-être constitutive de son existence même. Que cherche-t-elle, en effet, inlassablement, sinon à parvenir à l'intelligence des conditions matérielles et des mécanismes mentaux grâce auxquels un sujet donné construit des connaissances déterminées ? Son projet est, en quelque sorte, de s'implanter dans la genèse même des apprentissages, d'en comprendre le mouvement, de saisir ce qui structurellement a pu le permettre et conjoncturellement le favoriser, afin de faire échapper tout cela à l'aléatoire des situations sociales et aux opportunités des histoires individuelles. Son objectif est d'instituer, dans des lieux spécifiques destinés aux apprentissages, un système de ressources et de contraintes qui représente les conditions optimales de l'apprendre. Le dispositif est ainsi, pour elle, une sorte de « mise en théâtre » de ces conditions ; il suppose qu'elles aient été élucidées au mieux et que l'on s'est efforcé de les reconstituer de la manière la plus exacte possible. En ce sens, la didactique doit plus aux travaux sur la réussite scolaire qu'aux recherches sur l'échec scolaire, et peut-être est-ce pour cela que son développement a été si tardif et reste encore, pour certaines disciplines, si aléatoire ?

Il n'est pas facile, en effet, d'identifier les opérations mentales qu'un sujet doit effectuer pour s'approprier lui-même un savoir donné afin de les rendre, en quelque sorte, obligatoires, par la mise en place d'activités, la proposition de consignes de travail et la gestion d'interventions régulatrices au cours de ce processus. Car l'idéal est bien de pouvoir répondre, dans chaque cas, pour chaque sujet apprenant et chaque objectif d'apprentissage, à la question suivante : compte tenu du niveau de pré-requis du sujet, compte tenu des contraintes spécifiques de l'objet, quelles tâches peut-on proposer de telle manière que, en les effectuant, le sujet rencontre un obstacle, puisse en faire un problème et le résoudre par lui-même, afin d'acquérir une habileté cognitive nouvelle, mobilisable en face d'autres problèmes qui auront été identifiés comme ayant les mêmes caractéristiques ?... J'ai pris la précaution d'écrire « l'idéal », mais la précaution est sans doute insuffisante au regard de la complexité de l'entreprise, tant le nombre de paramètres est important et leur combinaison problématique.

Tentons pourtant une clarification provisoire, sans illusion sur la possibilité d'y parvenir ni sur l'espoir de ne pas ennuyer le lecteur qui ira directement, si l'allergie le prend, à la fin du paragraphe... Une situation didactique suppose d'abord que l'on ait défini un objectif d'apprentissage en référence, à la fois, à un programme déterminé et à un niveau de développement cognitif atteint par le sujet ; elle suppose surtout qu'une intersection est possible entre ces deux domaines. Une situation didactique exige aussi que l'on ait identifié une tâche qui puisse, en même temps, mobiliser l'intérêt du sujet et faire émerger un obstacle que l'objectif permettra de surmonter ; et, là encore, l'existence d'une telle tâche, qui combine de manière certaine ces deux exigences, n'est pas garantie à l'avance. Mais, en admettant que l'on soit parvenu à en trouver une, il convient alors de mettre en place tout un jeu de contraintes empêchant le sujet, dans la réalisation de cette tâche, de surmonter l'objectif sans apprendre, à l'économie en quelque sorte, en se procurant un objet déjà réalisé ou en sollicitant une compétence susceptible de faire le travail à sa place. C'est seulement la présence de ces contraintes qui permettra la transformation de l'obstacle en problème à résoudre ; c'est, ensuite, la présence de ressources appropriées qui donnera au sujet les moyens de construire lui-même la solution et donc d'effectuer un apprentissage. Evidemment, pour que tout ce processus soit fécond, il faut encore que l'objectif ait été défini, d'entrée de jeu, en termes d'association entre une classe de problèmes, identifiable à des caractéristiques structurelles, et un programme de traitement commun qui puisse lui être appliqué pour permettre leur résolution : c'est cela qui permettra au maître d'organiser progressivement des exercices de décontextualisation par lesquels le sujet pourra apprendre à repérer la structure d'une même classe de problèmes dans des situations pourtant différentes. Ainsi et seulement ainsi, une habileté acquise d'abord localement contribuera à la construction de l'autonomie intellectuelle de l'apprenant : il n'y a, en effet, autonomie que dans la mesure où un sujet a acquis la capacité d'utiliser de manière pertinente un outil cognitif, c'est-à-dire de l'associer à des situations dans lesquelles il aura identifié un problème pour lequel il connaît son efficacité... Tout cela étant acquis, il faut enfin ajouter que la didactique ne peut pas faire l'économie de la prise en compte des différences individuelles, tant sur le plan des représentations que sur celui des stratégies cognitives ! [1]

Que le lecteur se rassure et reprenne son souffle ! J'ai bien conscience du caractère effrayant d'une telle description et, délibérément, je n'ai rien fait pour gommer son austérité. Certes, il eût été possible d'illustrer ces thèses par quelques exemples concrets et d'en montrer la pertinence, aussi bien en formation initiale qu'en formation continue... Mais si je résiste ici à entrer dans le détail et à m'adonner aux satisfactions du didactisme explicateur, c'est pour bien marquer ma conviction : je crois que, malgré l'habileté de tous les habillages, quels que soient les efforts que l'on peut faire pour incarner le projet didactique dans des situations concrètes et lui donner épaisseur humaine, il garde toujours un caractère abstrait et volontariste qui peut légitimement inquiéter. En dépit des pétitions de principe ou des réserves rhétoriques des didacticiens, il s'agit bien toujours, pour eux, de structurer les situations d'apprentissage en tentant de contrôler l'ensemble des variables, de traquer l'aléatoire, de supprimer l'imprévu, jusqu'à la maîtrise complète d'un dispositif qui fonctionne « à coup sûr ».

J'ai déjà dit tout ce que cette volonté portait de positivité, tout ce que l'organisation de lieux spécifiques pour apprendre, où puissent se mettre en place des démarches rigoureuses, avait fait gagner en justice sociale ; je mesure le chemin qu'il reste encore à parcourir dans ce sens et je milite pour le développement de la recherche en didactique que je voudrais aussi forte ou, au moins, aussi prise au sérieux que la recherche médicale. Et pourtant je suis convaincu que l'obstination didactique ne peut jamais espérer servir à autre chose qu'à faciliter un apprentissage, qui est toujours et irréductiblement effectué par le sujet et par lui seul, à sa propre initiative. Même dans une situation didactique idéale, qui aurait réussi à prendre en compte l'ensemble des paramètres que j'ai évoqués plus haut, c'est l'apprenant qui apprend, par un travail sur lui-même dont il reste toujours le seul maître et qui ne peut que ramener à la modestie ceux et celles qui, de l'extérieur, aussi savants psychologues et didacticiens soient-ils, prétendent être ses « maîtres ». Cela ne signifie pas que l'organisation des systèmes d'aide est inutile ou que le système éducatif peut se passer de la mise en place

1. Les lecteurs qui n'auraient pas été trop rebutés par ma présentation peuvent se reporter à mes deux précédents ouvrages, *Apprendre, oui...mais comment* (6e édition, ESF éditeur, Paris, 1990) et *Enseigner, scénario pour un métier nouveau* (2e édition, ESF éditeur, Paris, 1990).

systématique de dispositifs didactiques... Cela signifie que, au sein même de ces dispositifs, c'est toujours aux sujets de prendre l'initiative. Cela signifie que l'efficacité de la didactique est aussi sa limite et qu'il n'est pas simple, une fois de plus, de vivre dans cette contradiction. Tout prévoir sans avoir tout prévu. Tout organiser en laissant, pourtant, place à l'imprévisible. Travailler inlassablement à mettre en place des dispositifs qui favorisent la construction des savoirs, tout en acceptant de ne pas savoir vraiment ni comment ni pourquoi chacun y parvient... ou n'y parvient pas. Associer l'obstination didactique avec cette tolérance pédagogique qui n'est pas indifférence à l'autre mais acceptation que la personne de l'autre ne se réduise pas à ce que j'ai pu en programmer[2].

---

2. Dans son ouvrage *La question de l'éthique dans le champ éducatif* (Matrice, Vigneux, 1987), F. IMBERT développe l'idée — sur laquelle mon accord est total — que « l'éthique pose que la relation ne vise pas la maîtrise de l'autre, sa définition, mais qu'elle se confronte à de l'inépuisable, à l'infini des personnes et des situations. L'éthique est cette reconnaissance que la relation est non-systématisable, qu'elle échappe à la totalité » (page 70). Il explique, en ce sens, que ce qui permet au pédagogique d'assumer l'éthique est l'existence de la loi par laquelle le désir « se met en jeu » et, surtout, « se met en je ». Mais la loi n'est pas « la règle » car la règle renvoie, pour F. IMBERT, à la mise en forme de l'éduqué par l'éducateur, tandis que la loi émane de « l'objet-tiers » (elle est ce qui, dans la pédagogie institutionnelle à laquelle se réfère F. IMBERT, émerge des contraintes de la situation elle-même, à l'occasion, par exemple, d'un travail d'imprimerie en classe).
Dans cette perspective, l'auteur fustige « le technico-didactique » (pages 35 à 37) qui se « déclare tout à la fois capable de garantir les modalités d'une production scientifique des savoirs et l'autonomie des sujets » (page 36). Il décrit ensuite sommairement une séquence d'apprentissage que j'ai présentée dans mon ouvrage *Outils pour apprendre en groupe* (Chronique sociale, Lyon, 3e édition, 1990, pages 159 à 168) et qui concerne l'apprentissage des temps du passé dans un récit. Il dénonce alors le fait que je crois, grâce au dispositif proposé, former les élèves à la « pensée dialectique », alors que la formation à la dialectique suppose, selon lui, « que l'on ne réduise pas le travail à la seule acquisition des règles de grammaire mais qu'il concerne et mobilise l'ensemble des conditions de vie » (page 37).
Sans engager une discussion complète et en me limitant à ce qui concerne le propos que j'ai développé dans ce chapitre, je dois relever ici un grave malentendu sur la démarche même qui a été la mienne : il s'agissait de s'interroger, à partir d'un objectif d'apprentissage scolaire donné — évidemment discutable — sur l'opération mentale que le sujet doit effectuer pour se l'approprier. A partir de là, on met en place un dispositif chargé de faire effectuer cette opération mentale de manière interpersonnelle et on l'allège progressivement, selon les principes de VYGOTSKY, afin que le sujet puisse l'effectuer de manière intrapersonnelle et à sa propre initiative. Cette démarche est, pour moi, la seule manière de sortir de la pédagogie exhortative et répétitive qui, en ne s'interrogeant pas sur la genèse des savoirs, renvoie leur appropriation à l'aléatoire le plus total. Or je ne peux pas croire que F. IMBERT accepte une telle « pédagogie ».

Mais je ne récuse pas du tout le caractère inquiétant de ma démarche. J'affirme simplement qu'elle est constitutive de tout effort didactique et qu'il ne peut être question de l'abandonner mais bien de permettre sa subversion par le sujet. J'ai d'ailleurs consacré un chapitre à ce thème dans le tome 1 de l'ouvrage incriminé par F. IMBERT sous le titre « la mise en échec de l'encadrement didactique » (pages 178 à 182) que je concluais en soulignant l'importance de créer des situations d'apprentissage différenciées où « l'écart toujours réinstauré entre le texte et le contexte (...) permet, pour chacun, l'émergence d'une signification nouvelle, c'est-à-dire sa constitution véritable en tant que sujet » (page 182).

17

L'analyse des causes et l'invention des solutions

Bien souvent, à la considération de ses échecs, quand une situation dérape ou qu'un phénomène de blocage apparaît, le pédagogue est tenté de s'engager dans une recherche des causes susceptibles de lui permettre de comprendre l'événement qu'il observe et, du moins le croit-il, d'y porter remède. Ainsi est-il convaincu que la qualité du diagnostic est garante de l'efficacité de son intervention et, parfois même, que la nature de cette intervention est directement déductible des causes identifiées ou présumées.

Il n'est pas sûr, pourtant, en dépit du caractère intellectuellement satisfaisant de ce schéma, que l'on puisse réellement fonctionner ainsi. Voilà, par exemple, un enfant qui pleure, tous les matins, pour ne pas aller en classe et voilà qu'un jour, à la stupéfaction générale, il y entre avec le sourire parce que, dit-il, la maîtresse a promis de consacrer, comme hier, un temps de la journée à du travail en petits groupes. Faut-il en déduire que l'origine du blocage scolaire résidait dans la pratique du travail individuel ? Bien évidemment, non ! Il a dû, bien plutôt, y avoir, dans l'histoire de cet élève, un traumatisme personnel lié à un faisceau de causes complexes, familiales, sociales, scolaires et psychologiques. Peut-être l'enfant a-t-il subi une humiliation grave dans une classe antérieure, associé un événement scolaire à une rupture familiale, dramatisé une brouille avec un ami ? Peut-être vit-il avec difficulté l'existence d'un fossé sociologique entre les attentes de l'école, les habitudes de ses camarades et sa propre tradition culturelle ? Peut-être y a-t-il un peu de tout cela ? Et, vraisemblablement, livré à des spécialistes de diverses disciplines — psychologues, psychiatres, psychanalystes, psychologues sociaux, sociologues, orthophonistes, linguistes, économistes, anthropologues, etc. —, il pourrait faire l'objet d'une multitude d'analyses. On pourrait, alors, engager des stratégies de remédiation appropriées et, sans doute, obtiendrait-on, selon l'habileté de chaque spécialiste sollicité, quelques résultats.

Mais l'institutrice qui m'a livré cet exemple n'a pas procédé ainsi car son identité professionnelle est tout autre. Certainement avait-elle, elle aussi et parce qu'il y a, chez tout pédagogue, des velléités interprétatrices difficiles à réprimer, une hypothèse d'explication. Mais ce n'est pas cette hypothèse — pas elle seule en tout cas — qui a débloqué la situation ; c'est la proposition d'une méthode qui trouve son origine dans l'inventivité personnelle dont elle a fait preuve, sans doute nourrie de lectures et d'échanges, mais qui ressort bien, en dernière instance, d'une décision pédagogique, la décision de gérer sa classe « autrement ». Le risque d'échec existe donc pour elle et c'est bien la seule observation des effets qui peut lui permettre *a posteriori*, et seulement *a posteriori*, de statuer sur la pertinence de sa proposition.

On ne peut pas affirmer qu'il n'y a aucun lien, ici, entre la cause et la solution — sans doute provisoire et précaire — du problème, mais on doit constater la radicale hétérogénéité de la seconde par rapport à la première... En matière pédagogique, aucune analyse de situation ne dicte, en effet, la moindre réponse, même si elle peut éclairer sur sa pertinence. La recherche des causes peut simplement nous donner parfois quelques lueurs sur le lieu où chercher la solution ou bien sur le type de solutions à adopter... mais encore faut-il pratiquer cette démarche avec prudence pour qu'elle ne verrouille pas l'inventivité et n'interdise pas à l'imagination pédagogique de se déployer[1].

---

1. C'est qu'il y a peut-être, en fait, dans l'espoir de pouvoir « déduire » la solution pédagogique de l'analyse de la situation de l'élève, le secret espoir d'accéder à une « connaissance parfaite » de celui-ci.

Or, une telle position a pu représenter, un moment, dans l'histoire des idées pédagogiques, une saine réaction contre le formalisme d'une pédagogie qui ne s'intéressait qu'à la qualité de son organisation programmatique... Ce fut même l'un des thèmes majeurs de l'Education Nouvelle qui ne cessa de répéter que « pour enseigner les mathématiques à John, il ne faut pas seulement connaître les mathématiques, il faut aussi connaître John ». Et l'on comprend bien l'importance d'une telle affirmation quand, massivement, dominait une conception « universaliste » de la culture selon laquelle toute attention à l'élève concret parasitait le projet même d'éduquer, constitutivement conçu comme projet d'éradication des spécificités individuelles. Il fallait lutter en effet, pied à pied, contre une terrible confusion des fins et des moyens, montrer que l'accès à l'universel requiert de ne pas ignorer mais de prendre en compte les particularités, de les interroger, de les confronter, bref de les « travailler pédagogiquement »... Partir d'un enfant abstrait, « sujet scolaire de droit », c'est lui interdire tout accès à la Culture car c'est, en quelque sorte, l'exhorter au voyage en lui en barrant tous les chemins. C'est pourquoi les « psycho-pédagogues » du début du siècle ont particulièrement bien fait de dénoncer là une imposture.

Pourtant je me demande si, aujourd'hui, il ne faut pas s'inquiéter de certaines velléités pédagogiques que l'on perçoit bien à travers l'engouement des enseignants pour les typologies caractérologiques, les grilles d'analyse des comportements et des capacités,

En réalité, la difficulté tient à la prégnance du modèle expérimentaliste selon lequel il serait possible d'établir des corrélations certaines entre des causes, des effets et des remèdes... les mêmes causes produisant toujours les mêmes effets et les mêmes remèdes pouvant être appliqués à coup sûr quand les causes sont identifiées comme étant identiques... « toutes choses, bien sûr, s'empresse-t-on d'ajouter, étant égales par ailleurs ». Mais, en éducation, les choses ne sont jamais « égales par ailleurs » : les situations sont radicalement spécifiques, le facteur personnel est déterminant, la multiplicité des variables à maîtriser est considérable, l'effet d'attente parasite toujours le dispositif expérimental et ce dernier détermine tout autant les réponses qu'il permet de les recueillir[2]. En pédagogie, les mêmes effets peuvent émaner de causes radicalement différentes et les mêmes remèdes peuvent produire, selon la personne qui les met en œuvre et les conditions particulières de cette mise en œuvre, des effets radicalement différents, voire diamétralement opposés. Parce que la pédagogie travaille l'humain et qu'elle est une gestion difficile de la décision, elle ne peut faire l'économie de l'invention.

---

les outils d'investigation psychologique de toutes sortes. N'y a-t-il pas là une volonté si forte de chercher à « comprendre » l'élève que l'on finit par faire peser sur lui une « pression interprétative » insupportable ? N'y a-t-il pas là un danger de réappropriation de l'autre dans un système d'interprétation qui le dépossède en quelque sorte de lui-même ? N'y a-t-il pas là comme une sorte de violence sournoise qui peut conduire à l'exclusion quand, un jour, on ne comprend plus ? Plus profondément encore, ne peut-on se demander si l'acceptation du non-savoir sur l'autre n'est pas une condition essentielle de l'interrogation éthique ?
En ce sens, Pierre Julien explique, dans un petit ouvrage récent (*Le manteau de Noë*, Desclée de Brouwer, Paris, 1991), que c'est dans le mystère représenté par l'autre sexe — mystère absolu pour moi — que s'enracine l'inquiétude éthique et, à partir d'elle, la question éthique de ma responsabilité : « ce dont je jouis, l'autre jouit-il ? » (page 86). Et c'est bien parce que la jouissance de l'autre restera, à tout jamais, pour moi un mystère, quelque chose hors de la portée de mon imagination elle-même, que je peux m'interroger sur la légitimité de mes actes. Que ce mystère disparaisse, et je basculerai dans la suffisance arrogante ou la culpabilité morbide. Le « non-savoir sur l'Autre » est donc bien ainsi la condition pour que reste posée la question, pour que de l'« ouvert » subsiste dans mon rapport à lui, de l'ouvert où peut s'insinuer l'éthique... de l'« ouvert » où peuvent, aussi, s'inventer des « solutions pédagogiques ».

2. Parmi les travaux qui, aujourd'hui, soulignent l'importance des effets du dispositif dans les résultats qu'il permet d'observer, je retiens, pour ma part, les recherches d'A.N. Perret-Clermont et de son équipe. Ils ont étudié les effets de la situation sociale de passage des célèbres tests de Piaget et ont pu se demander si, « lorsque des sujets présentent au post-test des compétences dont ils n'avaient pas fait preuve au prétest, la situation d'apprentissage n'a pas surtout été l'occasion d'explorer et de préciser le type de conduite attendu par le test » (*Interagir et connaître*, Delval, Fribourg,

Mais, de la même manière qu'il y aurait une grave illusion à croire en la possibilité d'échapper à la décision individuelle, il y aurait une certaine naïveté à penser pouvoir tout réinventer par soi-même : des propositions existent, des méthodes, des outils, des grilles d'observation et des techniques de remédiation. Leur connaissance, leur consultation régulière, la prospection systématique du possible, ne peuvent que faciliter la prise de décision et même stimuler, par glissements, dévoiements, détournements de tous ordres, l'inventivité personnelle.

En ce sens, l'activité pédagogique s'apparente profondément à celle du bricoleur[3]. Sa recherche est celle d'une correspondance, souvent mystérieuse, parfois étonnante, entre des événements observés et des propositions effectuées. C'est donc à la qualité de notre regard et à la richesse de notre panoplie méthodologique qu'est suspendue la possibilité d'inscrire dans les faits quelques-unes de ces connexions, qui ne sont jamais totalement prévisibles, mais grâce auxquelles, pourtant, deux projets se rencontrent et deux personnes grandissent ensemble.

Suisse, 1988, page 272). Plus généralement, ces auteurs se demandent si les schèmes cognitifs observés dans les dispositifs expérimentaux ne sont pas aussi « la modélisation d'une forme particulière de situation sociale » (*idem*, page 273), à savoir de la situation sociale imposée par le dispositif lui-même... et qui peut être plus ou moins éloignée des situations sociales scolaires ou extra-scolaires d'apprentissage. Cela n'invalide pas mais relativise considérablement les résultats des recherches expérimentales ; cela permet surtout de considérer ces résultats en les reliant toujours aux conditions de leur recueil et, donc, d'interroger plus systématiquement les conditions que l'on met en place dans la classe.

3. D. HAMELINE a fait longuement, et bien avant moi, l'éloge de l'éducation comme bricolage dans « Le praticien, l'expert et le militant » (in J.P. BOUTINET et col., *Du discours à l'action*, L'Harmattan, Paris 1985, pages 80 à 103). Et l'on doit, bien évidemment, évoquer, sur ce thème, les célèbres analyses de C. LEVI-STRAUSS dans *La pensée sauvage* (Plon, Paris, 1962)... LEVI-STRAUSS y décrit, en effet, l'activité du bricoleur comme celle d'un homme qui « doit se retourner vers un ensemble déjà constitué, formé d'outils et de matériaux ; en faire ou en refaire l'inventaire ; enfin, surtout, engager avec lui une sorte de dialogue, pour répertorier, avant de choisir entre elles, les réponses possibles que l'ensemble peut offrir au problème » (page 32). « Mais, ajoute-t-il, ces possibilités demeurent toujours limitées par l'histoire particulière de chaque pièce, et par ce qui subsiste en elle de prédéterminé, dû à l'usage originel pour lequel elle a été conçue, ou par les adaptations qu'elle a subies en vue d'autres emplois » (pages 32 et 33)... On sent bien, ici, la proximité de la démarche avec celle du pédagogue qui, lui aussi, ne peut inventer quelque chose de nouveau qu'en prenant en compte l'ensemble des contraintes institutionnelles, matérielles et humaines auxquelles il doit faire face. La différence, cependant, c'est que, parmi toutes ces contraintes, il en est une catégorie qui ne peut être traitée comme des « objets », enfermés ou déterminés par leur passé, et ce sont précisément les élèves. Parce que leur réaction est imprévisible et qu'il faut souhaiter ardemment qu'elle le reste, on ne peut concevoir un agencement

C'est à notre détermination à interroger les objets les plus banals ou les plus extraordinaires pour nous demander ce que l'on pourrait bien en faire, cette semaine, quand il va s'agir de traiter de telle ou telle notion qu'est suspendue la possibilité de briser la routine et de susciter la curiosité. C'est à cette attention aux matériaux pédagogiques disponibles, aux suggestions faites ici ou là dans des revues d'éducation, aux expériences d'apprentissage racontées par l'un ou l'autre de nos enfants, de nos amis ou de nos collègues, que se nourrit notre inventivité... Et c'est à notre souci d'observer constamment les effets attendus ou imprévus, les acquisitions effectuées ou les réconciliations qui s'ébauchent, les regards qui s'animent ou la sérénité qui revient, que nous acquérons petit à petit la capacité de réguler nos propositions en fonction de ce qu'elles produisent. Nous apprenons alors à céder peut-être moins à la fascination de notre « trésor de guerre » et plus à celle de ces mystérieux accords qui adviennent parfois sous nos yeux et qu'il nous faut respecter infiniment, sans insistance ni explications inutiles, de peur de briser le charme. Car, à trop appuyer sur l'effet, on en perdrait tout bénéfice, suscitant la rétractation de ceux qui se sentiraient alors pris au piège. Il faut laisser la correspondance s'établir sans crier au miracle ni la redoubler de justifications didactiques ; il faut se retirer même, quand elle est établie, sur la pointe des pieds pour laisser l'autre au bonheur de sa découverte.

Ainsi, comme le bricoleur qui engrange des objets hétéroclites et ne cesse de les interroger pour voir s'ils n'esquisseraient pas, par hasard, la forme possible d'une réalité nouvelle, l'attention du pédagogue à ce qui se passe sous ses yeux et l'effort pour capitaliser des outils lui permettent d'inventer quelques-unes de ces configurations originales qui le surprennent lui-même par leur étonnante efficacité. Mais, comme le bricoleur qui sait continuer sa quête de collectionneur de l'étrange avec l'espoir de compléter, voire de complètement déconstruire ce qu'il a construit pour en faire tout à fait autre chose, le pédagogue ne peut s'arrêter à ce qui, dans un instant, lui sera apparu comme une réussite modeste ou éclatante. Car la mouvance de l'humain est plus exigeante encore que l'usure des objets et l'éducateur

---

pédagogique *in abstracto* et le réaliser ensuite comme on fabriquerait quelque chose... La place de l'humain est telle que l'agencement ne peut être qu'ouvert et que le pédagogue ne peut espérer le maîtriser autrement qu'en imagination. Mais, peut-être, lui faut-il allier, précisément, cette maîtrise dans l'imaginaire avec une capacité d'ouverture dans sa réalisation ?

partage avec le Facteur Cheval la certitude que la création est irrémédiablement condamnée à l'inachèvement[4]. Il doit même y ajouter la conviction que toute proposition pédagogique doit générer son propre dépassement, toute situation didactique susciter sa propre subversion.

---

4. J'ai toujours été fasciné, pour ma part, par le « Palais idéal du Facteur Cheval » où s'exprime une humanité fragile, non conquérante, perpétuellement en quête d'elle-même, où l'imitation dérape constamment et où la création naît de l'imperfection sans cesse reprise, retravaillée, hésitant indéfiniment à clore son œuvre. J'ai toujours aussi été frappé par l'histoire de cet homme, commençant à réaliser son rêve un jour où, par mégarde, il bute sur un caillou étrange : « Un jour du mois d'avril en 1879, en faisant ma tournée de facteur rural, à un quart de lieue avant d'arriver à Tersanne. Je marchais très vite, lorsque mon pied accrocha quelque chose qui m'envoya rouler quelques mètres plus loin. Je voulus en connaître la cause. Je fus très surpris de voir que j'avais fait sortir une espèce de pierre à la forme si bizarre, à la fois si pittoresque, que je regardais autour de moi. Je vis qu'elle n'était pas seule. Je la pris et l'enveloppais dans mon mouchoir de poche et je l'apportais avec moi me promettant de profiter des moments que mon service me laisserait libres pour en faire une provision » (*Lettre de Ferdinand* CHEVAL de 1897, citée dans *Le palais idéal du facteur Cheval*, J.P. JOUVE, C. PREVOST, Editions du Moniteur, Paris, 1981, page 6). A partir de là commence pour cet homme une quête de 27 ans au cours de laquelle les morceaux de tuff transportés de nuit dans sa brouette, les cartes postales aperçues dans le courrier, les images de calendrier, les rêves aussi, et les plus fous, s'entrechoquent, se combinent jusqu'à donner naissance au « Monument ».
Comment ne pas penser au pédagogue qui, un jour, bute sur une difficulté, rencontre un texte, une idée, un outil, qui fait écho à un projet et lui permet d'engager une œuvre qui exige de lui à la fois ténacité et imagination ? Car il est vrai que pour donner le jour à quelque dispositif, même fugace et fragile, il faut, sans doute, recueillir de nombreux éléments ; il faut aussi être attentif et disponible à ce qu'ils nous disent ; il faut, enfin, élaborer un modèle, son modèle, où l'imitation et l'invention se télescopent en permanence au point que l'on n'en peut jamais sans une certaine imposture en revendiquer la paternité.

18

La fascination de l'outil

Parce que le pédagogue, dans son activité quotidienne, est « cité à inventer » comme d'autres sont « cités à comparaître », parce que la pédagogie — proche, en cela, de la politique et de la médecine — est une discipline de l'action qui est amenée à gérer l'incertitude, à pactiser avec le risque, à assumer l'aléatoire inhérent à toute action humaine, elle est souvent fascinée par un outil qui semble lui restituer quelque stabilité méthodologique et qu'elle perçoit même parfois comme susceptible de lui conférer un semblant d'honorabilité scientifique. Certes, je comprends l'attirance des praticiens pour tout ce qui comporte un caractère instrumental... On leur a assez dit — et on le leur disait il y a encore peu de temps — qu'ils étaient condamnés à la « reproduction », pour qu'ils aient le souci de se saisir de ce qui paraît leur donner, aujourd'hui, du poids sur la chose pédagogique. Mais cette fascination peut avoir des effets pervers et la satisfaction de pouvoir enfin agir peut camoufler l'aveuglement sur les enjeux de son action : on risque alors d'en oublier les autres dimensions de tout « modèle pédagogique » et ne pas discerner la manière dont l'outil autorise le dégagement de l'autre et sa constitution comme sujet.

Tout outil, en effet, s'inscrit dans un « modèle », c'est-à-dire une représentation de l'éducation et de la pédagogie qui articule trois éléments : une prise de position sur des finalités, la mobilisation de connaissances à caractère psychologique concernant le « fonctionnement » du sujet apprenant et, enfin, des modalités d'action plausibles. Ce sont là les trois pôles dont la présence, quoique souvent implicite, donne cohérence à la moindre proposition.

Le pôle des finalités — que l'on pourrait aussi nommer pôle axiologique — n'est pas constitué, pour moi, par les intentions que l'éducateur annonce officiellement mais, bien plutôt, par les positions qu'il prend, à travers les pratiques qu'il met en place, sur les rapports que doivent entretenir aussi bien le formateur et les formés que les formés entre eux... Il y a là l'esquisse d'une socialité qui en dit plus long sur ce que l'éducateur cherche vraiment que les discours verbeux sur la responsabilité et l'épanouissement qu'il peut tenir par ailleurs, quand il s'agit de se placer sur l'échiquier institutionnel. Le pôle de l'étayage psychologique est constitué, lui, par les connaissances mobilisées pour venir soutenir le modèle proposé. Celles-ci sont toujours, à l'évidence, partielles, dans la mesure où l'action impose le choix et puisqu'on ne peut jamais agir sur tout, au moins simultanément. Mais on peut effectuer la réduction nécessaire en connaissance de cause et sans nier par décret ce que l'on décide de ne pas prendre en compte par méthode ou, au contraire, valoriser exclusivement certaines dimensions en oubliant l'existence des autres. C'est alors le cognitif qui vient prendre toute la place et écarter toute considération de l'affectivité, le travail sur la mémorisation qui phagocyte la préoccupation de la construction des savoirs, la réflexion sur les opérations mentales invariantes qui interdit la prise en compte des spécificités individuelles... ou vice versa[1]. Le troisième pôle, enfin, celui que l'on peut nommer le pôle praxéologique, est précisément celui des outils et, lui aussi, doit être interrogé : les outils proposés sont-ils exclusivement des moyens de me sécuriser — ce qui,

1. Il faut relever que, plus globalement, l'insistance sur le pôle psychologique dans un modèle pédagogique peut comporter le danger, très présent depuis de nombreuses années, d'une attitude « attentiste » qui subordonne toute intervention de l'éducateur au fait que l'on ait identifié, chez le sujet, la présence de « structures » qui la permettent. Pour l'enseignant, cela se traduit, plus trivialement, par l'affirmation que l'on ne peut pas faire grand-chose parce que le sujet « n'est pas assez mûr » ou « n'a pas atteint le bon stade ». Il y a là, en fait, un des effets les plus pervers d'une certaine interprétation des travaux de PIAGET — du « premier PIAGET » en réalité — qui permet d'attribuer systématiquement l'échec d'un apprentissage à une insuffisance du développement. Or, on peut aujourd'hui mettre en doute de telles hypothèses en s'appuyant sur les apports, longtemps ignorés, de VYGOTSKY. Ce dernier montre, en effet, que les apprentissages peuvent — à certaines conditions, évidemment — précéder le développement. Pour lui, le pédagogue a vocation à organiser des systèmes d'aides (nous dirions aujourd'hui des « dispositifs ») qui permettent au sujet d'anticiper sur son développement « naturel » en se situant dans la « zone proximale de développement ». On ne peut donc plus, dans cette perspective, se contenter d'attendre que le sujet « soit capable de » avant de lui proposer une activité ; on ne doit pas, non plus, le brutaliser sans considération de son évolution, mais il convient bien plutôt d'anticiper cette évolution. Plus profondément encore, à travers cette approche, c'est le rapport entre le pédagogique et le psychologique qui se trouve ainsi modifié : c'est, en fait, au pédagogique que revient le rôle d'explorer le champ du possible en matière d'apprentissage au lieu de se caler — comme il a cru devoir le faire parfois — sur les constatations du psychologique. Sur les apports de VYGOTSKY, on peut lire *VYGOTSKY aujourd'hui*, sous la direction de B. SCHNEUWLY et J.P. BRONCKART, Delachaux et Niestlé, Neuchâtel et Paris, 1989 (en particulier l'excellent texte de VYGOTSKY lui-même, pages 95 à 117) ; on peut également se référer à l'ouvrage de VYGOTSKY traduit en français, *Pensée et langage*, Messidor/Editions sociales, Paris, 1985.

d'ailleurs, peut être nécessaire à certains moments — ou sont-ils réellement des instruments de progrès pour les formés ? Quelle est la part du placebo dans les résultats que j'obtiens ? Quelles sont les conditions à remplir pour utiliser correctement et lucidement ces outils ? Entendons-nous bien : il n'est pas question d'interdire au praticien, au nom de je ne sais quelle prétention positiviste, d'utiliser des outils dont il ne connaît pas très exactement comment ils opèrent. Il n'y a aucune honte à utiliser le placebo s'il peut avoir une quelconque efficacité... Mais sans une compréhension minimale de ce qui opère et des conditions requises pour que cela opère, on se condamne à n'agir qu'au hasard et l'on se prépare des déceptions qui transformeront vite un totem en tabou. J'ai expliqué tout à l'heure qu'on ne pouvait pas espérer agir à coup sûr... mais on ne doit pas, pour autant, se résigner à n'être efficace que par accident. L'essentiel est de ne pas inférer de l'existence de régularités celle de mécanismes auxquels personne ne pourrait se soustraire.

Il y a donc une première série d'interrogations à faire porter sur toute proposition à caractère instrumental et qui concerne les trois pôles du modèle dans lequel elle s'inscrit : quelles finalités sont-elles réellement poursuivies à travers son usage ? Quelles connaissances psychologiques sont-elles mobilisées et sont-elles suffisamment assurées ? Quelle efficacité est-elle permise qui ne m'entretienne pas dans l'illusion d'une action qui aurait pour simple fonction de panser mes blessures narcissiques ? A ces questions s'ajoute, évidemment, une interrogation plus fondamentale sur la cohérence globale du modèle : les outils proposés servent-ils réellement les finalités que je veux poursuivre et les connaissances mobilisées sont-elles bien susceptibles d'éclairer mon activité[2] ? Mais, surtout, plus fondamentalement encore, tout outil pédagogique doit être questionné sous l'angle éthique, en raison du statut de la pédagogie elle-même.

---

2. Je craindrais, bien sûr, de prendre un exemple, pour illustrer ma grille d'analyse, parmi les modèles qui sont aujourd'hui en circulation. A chaque lecteur de s'entraîner, s'il le souhaite, à cet exercice. Mais, afin d'incarner mon analyse, même brièvement, on peut développer un exemple considéré par presque tout le monde comme actuellement périmé, l'enseignement programmé. On en connaît le principe développé essentiellement par B.F. SKINNER (voir, en particulier, *La révolution scientifique dans l'enseignement*, Dessart, Bruxelles, Belgique, 1968) : il s'agit de pratiquer un découpage minutieux des savoirs à acquérir de telle manière que chaque parcelle ne présente qu'un degré extrêmement minime de difficulté supplémentaire par rapport à la précédente ; ces savoirs sont présentés à l'apprenant par ordre de complexité croissante et l'on opère, à chaque acquisition, un « renforcement positif » pour lui donner une gratifica-

Car il faut accepter sereinement l'idée que la pédagogie ne trouve pas sa légitimité dans l'existence des mêmes critères de validation que l'ensemble des disciplines scientifiques traditionnelles, comme la physique, la géologie, la linguistique, l'économie ou l'histoire. Un simple regard sur l'histoire de ces disciplines et les débats qui les traversent permet, en effet, de comprendre qu'elles tirent leur identité des conditions méthodologiques qu'elles imposent, à un moment donné, à ceux qui prétendent les pratiquer ; ce sont ces conditions qui leur permettent, comme on dit, de « faire la police » parmi tous ceux qui se réfèrent à elles et d'affirmer par la voix de leurs plus hautes instances : « Ceci est vrai pour nous et voilà la frontière qui marque les limites de la recevabilité des connaissances produites ». Si on les observe de plus près, on découvre que pratiquement aucune des disciplines traditionnelles qui constituent aujourd'hui les fragments de notre savoir encyclopédique ne dispose vraiment d'un objet qui lui soit propre : un texte, le même texte, peut être étudié par un linguiste, un sociologue, un psychologue ou un historien des mentalités ; un objet, le même objet — fût-il simplement un morceau de matière — peut être étudié par un physicien, un chimiste, un géologue, un économiste, qui, chacun, appliquera à l'objet sa méthode pour lui extorquer sa vérité. Au bout du compte, entre toutes ces « vérités », il y a, le plus souvent, une hétérogénéité radicale : chacune « a raison » si on la réfère au système d'explication qu'elle utilise et pour autant qu'elle en respecte les règles. L'objet étudié est ainsi, en quelque sorte, dissous en tant que tel ; ce

---

tion et lui faire savoir qu'il est dans la bonne direction. A terme, on se dirige vers la mise en place de « machines à enseigner ».

Sur le plan praxéologique, une telle formule peut apparaître satisfaisante : elle semble donner toutes les garanties d'efficacité nécessaires, au moins pour l'acquisition de savoirs procéduraux impliquant la maîtrise de certains automatismes. Sur le plan psychologique, en revanche, elle peut être interrogée en ce qu'elle s'appuie sur une théorie de l'apprentissage strictement béhavioriste qui conçoit celui-ci en termes de stimulus/réponse : une telle théorie permet-elle de comprendre comment s'effectuent des apprentissages complexes d'opérations mentales coordonnées ? Ce n'est pas sûr. De plus, le béhaviorisme ignore systématiquement la dimension du « projet » et du « sens » dans l'apprentissage ; il ne prend pas en compte le fait fondamental que « toute leçon doit être une réponse », selon la célèbre formule de DEWEY. Mais c'est, évidemment, sur le plan axiologique que l'enseignement programmé apparaît le plus préoccupant, puisque la « machine à apprendre » risque toujours de sécréter la « machine apprenante » et que l'idéal éducatif qui se profile derrière ces pratiques est plus proche de ce que l'on peut lire dans *Le meilleur des mondes* d'HUXLEY que du projet d'une société favorisant l'émergence de sujets libres : « Vous êtes conditionnés de telle sorte que vous ne pouvez vous empêcher de faire ce que vous avez à faire » explique-t-on, en effet, aux exécutants (les Epsilons, ceux qui sont devenus, à force d'« éducation », « trop bêtes pour savoir »), dans le roman d'HUXLEY (Presses Pocket, Paris, 1986, page 262).

n'est pas à lui, quoi qu'il en soit, à arbitrer entre les différentes approches dont il a été l'inconsentante victime. En d'autres termes, le critère de validité de la démarche n'est pas dans l'« objet » de cette démarche mais dans sa cohérence épistémologique, et celle-ci n'est toujours qu'une manière parmi d'autres d'avoir prise sur l'objet.

Plus simplement encore, plus schématiquement même, on pourrait dire que, dans les disciplines « scientifiques », l'objet est muet ou, quand il parle, c'est que le scientifique le fait parler ; dans les « disciplines de l'action humaine » en revanche, comme la pédagogie, l'objet doit prendre la parole et c'est même là la finalité ultime que l'on s'assigne... L'objet doit prendre la parole parce que l'objet est un sujet et que c'est à lui, au bout du compte, de juger de la pertinence de l'action entreprise, de décider de s'approprier ou non ce qu'on lui propose. Et il convient de bien avoir cela en mémoire dans les débats actuels sur les méthodes pédagogiques : nous ne pouvons pas statuer entre spécialistes, au nom d'une prétendue scientificité, sur ce qui est « bon » pour l'autre. Certes, nous devons avoir une conviction, nous forger un modèle qui nous permette d'agir ; mais aussi, en même temps, nous devons mettre en place progressivement un fonctionnement contractuel dans lequel le sujet soit amené à contrôler lui-même la pertinence de notre action et grâce auquel il puisse, s'il le juge nécessaire, s'en émanciper. Mais cela, j'en conviens, n'est pas chose facile.

19

Du contrat

Qu'on le veuille ou non, toute pédagogie est une « pédagogie du contrat » dans la mesure où elle gère tout un jeu d'attentes réciproques, souvent fort complexes, dans lequel interfèrent la position sociale des partenaires, les règles du jeu institutionnelles et leur interprétation locale ainsi que les contraintes spécifiques à la situation et à la discipline enseignée. Chacun attend donc « quelque chose » de l'autre, un type de comportement ou de réaction, un geste ou simplement un regard en réponse à chacune de ses demandes ; chacun agit aussi en fonction de ce qu'il suppose que l'autre sait de ce qu'il attend[1].

Mais, dans ce face à face, tout le monde n'est pas, loin s'en faut, à égalité ; ceux qui ont la chance de connaître les règles du jeu s'en tirent, évidemment, avec les honneurs, tandis que les autres tentent de deviner ce qu'on leur demande et, quand ils n'y parviennent pas, s'engagent parfois délibérément vers ce qu'ils sentent interdit. C'est que là, au moins, les choses sont relativement stabilisées, le terrain pas trop mouvant et le danger de la sanction moins grave, à tout prendre, que l'angoisse devant l'inconnu et l'insaisissable.

C'est pourquoi le pédagogue a toujours le devoir de clarifier, autant que faire se peut, les termes du contrat didactique : l'explicitation des attentes comportementales, des consignes afférentes à chaque type de travail, des règles de fonctionnement de la situation d'apprentissage et du groupe ne peut qu'avoir un effet démocratisant... puisque l'on s'efforce alors de ne plus réserver l'intelligence de la situation à

1. Il revient à J. FILLOUX d'avoir exploré la première ce « contrat pédagogique » (*Du contrat pédagogique*, Dunod, Paris, 1974) et d'avoir montré son ambiguïté, les élèves manifestant essentiellement des attentes dans l'ordre du didactique, tandis que les enseignants cherchent à dénier leur adultité, à camoufler la dénivellation éducative et à réaliser le fantasme d'une relation à caractère fusionnel.

ceux-là seuls qui sont « spontanément » capables de les comprendre, parce que socialement complices avec le maître[2].

Mais ce qui fait difficulté, en réalité, c'est que le contrat didactique est toujours aussi un contrat pédagogique : en définissant des critères et des règles, je définis toujours des objectifs... ne serait-ce que l'objectif de parvenir à se soumettre à ces critères et à ces règles. Et, en définissant des objectifs, je suggère toujours qu'il doit exister un projet qui soit commun aux partenaires en présence et qui ne se limite pas à subir passivement une épreuve en attendant que la sonnerie vienne l'interrompre. Là encore, la clarté est, sans doute, souhaitable : si nous

2. La notion de « contrat didactique » a été introduite, essentiellement, par les didacticiens des mathématiques, et d'abord G. BROUSSEAU qui explique que le contrat didactique « est ce qui détermine, explicitement pour une part, mais surtout implicitement, ce que chaque partenaire va avoir à charge de gérer et dont il sera, d'une manière ou d'une autre, comptable devant l'autre » (*Les objets de la didactique des mathématiques, Actes de la 2e Ecole d'été de didactique des mathématiques*, IREM d'Orléans, 1982, page 50). Y. CHEVALLARD, qui a repris ce concept, considère qu'il permet de comprendre les situations didactiques sans les « dramatiser », sans être amené à considérer les élèves comme des accusés ou comme des victimes (*Remarques sur la notion de contrat didactique*, IREM d'Aix-Marseille, 1983, pages 4 et 5). Grâce à lui, on sortirait en quelque sorte de l'idéologie qui vient obscurcir le débat didactique : « Il tend, pour le dire nettement, à nier qu'il y ait à rechercher un coupable, pour cette raison qu'il n'y a pas eu crime » (*ibid.*, page 17).
Par ailleurs, Y. CHEVALLARD insiste sur le fait que le contrat ne peut être explicité vraiment, sauf à succomber à l'illusion nocive de la transparence et, peut-être aussi, parce que le contrat ne résisterait pas à cette clarification (il comporte, sans doute, des composantes qui s'effondreraient si elles étaient l'objet d'une explicitation et feraient s'écrouler avec elles la situation scolaire elle-même !).
Je ne peux guère, pour ma part, accepter sans discussion cette interprétation des choses qui, sous prétexte de s'en tenir à la simple description « scientifique », entérine, en réalité, un mode de fonctionnement particulièrement sélectif et, de plus, éthiquement et moralement particulièrement contestable. Certes, je connais la réponse d'Y. CHEVALLARD qui souligne que l'on ne peut agir sans se plier aux contraintes du « réel » et que, dans tout édifice, il existe une « fonctionnalité » des différents phénomènes que l'on ne peut nier sans compromettre son existence... Mais ce qui nous sépare c'est que je ne place nullement la survie de l'institution scolaire comme fin ultime de l'activité pédagogique. Les institutions sont, pour moi, au service des hommes et non l'inverse. Si « un fait établi » (comme l'implicite du contrat didactique) remet en question des finalités essentielles, il faut s'interroger sur ce qui rend possible ce fait et se poser la question des conditions de son éradication. Quoi qu'il en soit, d'ailleurs, je revendique le fait que ma position n'est ni plus ni moins idéologique que celle d'Y. CHEVALLARD.
Il reste que l'on a raison de souligner que toute situation pédagogique est radicalement dissymétrique et qu'il faut gérer cette dissymétrie... mais j'aurai l'occasion de dire que tout le problème pédagogique est, précisément, de faire en sorte que des interactions — qui requièrent une certaine « parité » — opèrent dans cette dissymétrie et que, de plus, elle ne s'éternise pas.

pouvons nous fixer ensemble un objectif, une échéance et même parvenir à esquisser des moyens pour le réaliser, autant le faire ; cela donnera sens au temps passé ensemble, servira de référence au moment de l'évaluation et alimentera même, peut-être, la conviction du possible. L'illusion serait simplement de croire que la négociation contractuelle instaure miraculeusement une parité de statuts, une égalité de droits et d'exigences entre l'éducateur et l'éduqué telle que la dénivellation en est miraculeusement abolie. Car, aussi négocié que soit le contrat, aussi inventif soit-il pour articuler les expériences antérieures du sujet, ses motivations du moment et les ambitions de l'éducateur, il reste fondamentalement dissymétrique. L'éducateur y occupe, en effet, une place irremplaçable puisqu'il anticipe le « bien » de l'autre, brusque, en quelque sorte, son histoire, le contraint de se dégager de l'immédiateté. Le contrat laisse ainsi entièrement intact le projet de modeler l'autre selon ce que l'on croit être bon pour lui, projet constitutif, comme je l'ai dit maintes fois, de l'entreprise éducative.

Mais le mérite de la négociation contractuelle est de révéler aussi l'autre versant de cette entreprise, celui qui nous renvoie à une autre dissymétrie, tout aussi radicale, celle où l'élève occupe une place que nul ne peut usurper, la place du sujet apprenant : car c'est toujours lui qui apprend et lui seul, et selon la stratégie qui lui est propre. Rien ne se fera si l'éducateur ne se soumet à cette évidence. Personne n'a jamais appris à nager à la place d'un autre ; personne n'a jamais appris les mathématiques à la place de quiconque... tout juste quelqu'un peut-il, modestement, faire faire à un autre quelques « économies d'histoire ».

Ainsi le contrat, loin d'instituer l'interchangeable, place les deux partenaires dans une situation doublement dissymétrique où chacun doit assumer, pour ce qui le concerne, son antériorité par rapport à l'autre : le projet de faire apprendre précède la mise en place d'une situation d'apprentissage ; l'acte d'apprendre précède l'apprentissage réalisé. Et la chose a beau être triviale, elle n'est pas facilement acceptée par l'éducateur qui s'abandonne parfois à la colère quand il la découvre : comment se résigner, en effet, à ce que les échafaudages les plus élaborés, les édifices didactiques les plus sophistiqués puissent être ainsi mis en échec parce que ceux à qui ils sont destinés décident de s'y soustraire ?

Assumer cette double antériorité n'est pas facile et l'hypothèse d'une convergence, même fugace, entre les projets des deux partenaires se heurte toujours à une hétérogénéité de fait des temporalités avec laquelle il faut bien composer. Ce n'est jamais quand je veux, au moment où je veux, dans l'instant où je décide que l'autre doit apprendre qu'il peut le faire... et même si nous avons réussi à convenir ensemble qu'il est bon qu'il le fasse. Le projet de faire apprendre est légitimement impatient. L'apprentissage est constitutivement hésitant. L'enseignant, qui est déjà de l'autre côté du savoir, est mortifié du temps perdu à le rejoindre. L'apprenant qui n'habite pas encore la connaissance et qui en découvre le chemin en tâtonnant, est agacé, voire découragé, par un emportement qu'il ne peut guère comprendre.

Il n'y a donc pas de contrat pédagogique qui soit la simple définition d'un objectif commun dont le développement irait de soi pour peu que la bonne volonté réciproque soit au rendez-vous. Il n'y a, en réalité, que le processus de contractualisation lui-même, jamais achevé, toujours en chantier, en tension entre des êtres animés de logiques nécessairement différentes, hétérogènes même, au point que leur rencontre peut paraître revêtir, quand elle survient, un caractère miraculeux.

Or on la comprend mieux si l'on observe le caractère paradoxal du contrat : la dissymétrie, ai-je dit, en est constitutive et les statuts des deux partenaires y sont radicalement différents. L'oublier serait laisser surgir le malentendu, la confusion des rôles et, avec elle, compromettre la possibilité d'éduquer. Quand l'éducateur croit devoir dénier son adultité pour réaliser son projet, il prive l'autre de toute référence et jusqu'à la possibilité même de le récuser... Il n'en reste pas moins vrai que si, de leur place respective, les partenaires ne peuvent entrer en communication, il ne sert à rien qu'ils engagent quoi que ce soit ensemble. Or cette communication requiert, précisément, au sein même de la différence de fonctions, une sorte de parité de nature.

De qui, en effet, puis-je accepter une remarque, une analyse, un conseil, si ce n'est de celui dont je me dis, sans toujours parvenir à bien comprendre le sens de mes formules, qu'« il me comprend », « se met à ma portée », « connaît mes problèmes » et qu'« il a peut-être même dû, un jour, faire face à des problèmes qui ressemblaient aux miens » ? En réalité, je n'accepte de prendre en compte que ce qui, d'une manière ou d'une autre, pourrait venir de moi, non parce que j'aurais pu en être moi-même l'auteur, mais parce que je partage avec celui qui me parle assez de choses pour pouvoir lui faire crédit[3]. Là réside d'ailleurs,

3. J'ai tenté de montrer ailleurs en quoi les travaux effectués à la suite de J. PIAGET sur le conflit socio-cognitif (en particulier ceux d'A.N. PERRET-CLERMONT, *La construction de l'intelligence dans l'interaction sociale*, Peter Lang, Berne et Francfort, 1979) étaient susceptibles d'éclairer cette étrange affirmation selon laquelle un individu

peut-être, la source de l'illusion endogène : c'est parce que je sais que je n'accepte que ce qui pourrait émaner de moi que je crois parfois que tout progrès ou toute acquisition ne peuvent venir que de moi. Le déni de l'extériorité dans l'apprentissage n'est, en quelque sorte, que la confusion de l'« être » des connaissances avec l'attitude de l'éducateur qui rend possible leur appropriation[4].

Car, quelle que soit sa compétence, l'expert ne parvient à la communiquer que s'il sait se faire aussi l'ex-pair, c'est-à-dire celui qui comprend que l'on ne parle à l'autre que si on parle « de » l'autre... au sens où on lui parle à la fois de lui — de ce qu'il est, qu'il croit, qu'il pense et à quoi l'on tente d'articuler autre chose qui le dépasse et lui donne sens à la fois — et au sens où l'on témoigne d'une communauté

ne prend vraiment en compte que ce qui pourrait venir de lui : en effet, quand un sujet est destinataire d'un conseil ou que l'on critique ses représentations ou points de vue, il peut réagir de quatre manières différentes : la récusation (argumentée, le plus souvent, par l'affirmation de l'incompétence de l'interlocuteur ou de sa mauvaise volonté à son égard), l'adoption immédiate (fondée sur les principes inverses et l'absence d'examen critique), l'adoption alternée (où l'on se soumet, dans l'instant et provisoirement, pour des raisons stratégiques, sans reconsidérer sa position) et l'interaction véritable dans laquelle l'apport de l'autre entre « en conflit » avec ce que l'on pense ou croit, contribue à déstabiliser le sujet et est intégré dans une nouvelle conception... On voit que ce n'est que dans ce dernier cas que l'on progresse et que l'on progresse précisément parce que l'on prend en compte ce qui vient d'autrui comme susceptible d'interagir avec soi-même ; en d'autres termes, on considère autrui, à certains égards, comme un autre soi-même (voir *Enseigner, scénario pour un métier nouveau*, 2e édition, ESF éditeur, Paris, 1990, pages 39 et suivantes).

4. Un des textes les plus intéressants sur ce que j'appelle ici l'« illusion endogène », outre le célèbre « mythe de la réminiscence » de PLATON, est le *De Magistro* de saint AUGUSTIN (Editions KLINCKSIECK, Paris, 1988). AUGUSTIN y débat avec son fils du pouvoir des signes : il montre d'abord qu'un signe renvoie toujours à des connaissances, des idées, des notions... et jamais à des réalités directement saisissables ; on ne peut donc rien montrer avec des signes que celui à qui on le montre ne connaisse déjà ; car, « lorsqu'un signe m'est donné, si j'ignore ce dont il est signe, il ne peut rien m'enseigner et s'il m'en trouve instruit, que m'enseigne-t-il ? » (n° 33, pages 72 et 73). Ce qui l'amène plus loin à affirmer qu'un savoir ne peut être apporté à quiconque de l'extérieur, qu'il ne peut être que révélé, dévoilé à un élève qui engage alors un mouvement de retour sur lui-même qui, au bout du parcours, l'amène à reconnaître le « Maître intérieur », seul capable de le conduire à la vérité.
Une telle conception est, pour moi, particulièrement significative dans la mesure où elle attire notre attention sur le fait que l'essentiel ne peut venir que « du dedans » ; elle interpelle le pédagogue sur une question fondamentale qui se pose bien au-delà de la référence augustinienne : « Comment faire pour que ce qui vient du dehors vienne aussi, et en même temps, du dedans ? »

radicale avec lui, telle que ce que l'on dit pourrait — mais dans une fiction où l'éducation serait déjà réalisée — venir de lui. Au lieu de cela, malheureusement, l'expert s'obstine trop souvent à tenir le rôle de l'ex-père, dans une sorte de nostalgie du géniteur où l'autre serait néant avant d'être. C'est, alors, à l'inverse de tout à l'heure, l'extériorité de la connaissance qui se prend au piège ontologique, s'absolutise et oublie les conditions de son appropriation. Les pédagogies de l'exogène, en présentant l'apprenant comme une table rase, récusent, en réalité, la rencontre dans l'apprentissage. Elles ignorent que, pour que la dissymétrie constitutive du contrat pédagogique soit autre chose qu'un cadre formel, pour que chacun puisse être attentif à la temporalité de l'autre, ouvert à lui au point qu'une rencontre puisse survenir et, avec elle, la circulation de connaissances, une parité radicale est requise. L'inégalité de fonctions n'est viable que si elle s'accompagne de l'égalité de nature comme le rapport hiérarchique n'est tolérable que s'il est aussi partage d'humanité[5].

5. Dans son dernier ouvrage, *Entre-nous, Essais sur le penser-à-l'autre* (Grasset, Paris 1991), Emmanuel LEVINAS montre magnifiquement que « la rencontre d'autrui consiste dans le fait que malgré l'étendue de ma domination sur lui et de sa soumission, je ne le possède pas. (...) Ce qui, en lui, échappe à la compréhension, c'est lui, l'étant » (page 22). Ainsi la philosophie d'Emmanuel LEVINAS est-elle susceptible de fonder une éducation où la dissymétrie des fonctions et des compétences n'interdit pas qu'une relation puisse s'établir dans une « invocation » réciproque... Il faut, pour cela, que nous renoncions à cette violence qui caractérise le monde des objets, dans lequel chaque « chose » entretient avec les autres un rapport de simple « insistance », comme dit LEVINAS. Il nous faut renoncer à cette « persévérance dans l'être » par laquelle notre « je » s'affirme et s'impose, se ferme sur lui-même, se fait dureté et matière. Il nous faut savoir pratiquer cette sorte de rétractation qui n'est pas reniement mais retenue, qui ne nous interdit pas d'être mais laisse toujours la place à l'Autre, qui l'appelle et le reconnaît.
Pour l'éducateur une telle attitude est évidemment difficile ; elle est perpétuellement menacée de basculer dans une gymnastique non directive dérisoire ou, à l'opposé, de s'anéantir dans une exhibition de ses connaissances qu'elle met ostensiblement « au service des autres » dans une généreuse abnégation... Or la « retenue » c'est l'expression de soi mais sans la brutalisation de l'autre ; c'est cette sorte de « pudeur » que connaît la véritable compétence, quand elle s'exprime sans s'imposer, quand elle reconnaît la difficulté de l'autre à l'entendre et, sans renoncer à ce qu'elle croit et sait, prend cette précaution essentielle de lui donner un espace où exister. La « retenue » c'est peut-être, alors, ce léger déplacement de l'intérêt, quand l'accent n'est plus mis exclusivement sur l'éducateur mais aussi sur ces objets qui circulent entre lui et l'éduqué et que nous appelons des « médiations ».

20

De la médiation

En ce qu'il œuvre inlassablement pour imaginer des correspondances entre un sujet, son histoire, ses acquis, et des objets culturels dont l'appropriation n'est jamais garantie... parce qu'il s'obstine à imaginer des dispositifs grâce auxquels ce sujet puisse s'approprier lui-même les savoirs qui auront été déclarés dignes de son apprentissage et nécessaires à son développement, le pédagogue — je l'ai déjà souligné et nous venons de l'observer à nouveau à propos de la notion de « contrat » — est un bricoleur. Il s'efforce de « créer des liens », d'inventer les moyens de réunir ce que tout sépare souvent : l'âge, l'expérience antérieure, les intérêts les plus immédiats comme les préoccupations les plus lointaines. De temps en temps, il peut, avec beaucoup de chance, découvrir quelque tangence entre un pan de connaissance et les projets de celui qui doit apprendre. Mais, parce que cette rencontre demeure bien souvent aléatoire, elle ne lui épargne pas l'effort d'inventer ces configurations étranges qui ne manquent pas de faire sourire les partisans de la seule transmission magistrale, ceux qui sont convaincus de la transparence de leur discours et délibérément aveugles sur les conditions de son appropriation. Le plus sérieux, ici, n'est pas celui qu'on pense... à moins que le sérieux doive être précisément défini — ce qui, après tout, est assez conforme à l'histoire de la pensée éducative, — comme l'ignorance délibérée de l'humain, le repli frileux sur des certitudes abstraites, le rationalisme hautain que seules quelques complicités identificatoires peuvent sauver du solipsisme.

L'éducateur est donc condamné à bricoler dans la médiation. Mais, sans doute, n'a-t-on pas assez réfléchi à la double acception de ce terme : la médiation est, en effet, à la fois, ce qui réunit et ce qui sépare, ce qui associe et ce qui permet de se dégager, ce qui rattache et ce qui permet de se mouvoir grâce au point d'appui qu'elle fournit. La médiation relie mais elle doit permettre aussi de délier et c'est bien là ce qui fait problème. Transmettre un savoir nécessaire mais qui se sait provisoire ou, au moins, dépassable... jouer un rôle essentiel, irremplaçable même, mais accepter, et même revendiquer, d'être un jour abandonné, non point par un goût morbide pour la souffrance ou poussé par un obscur désir de s'apitoyer soi-même sur cet abandon, mais parce que c'est là la condition paradoxale de notre réussite... tel est bien l'enjeu essentiel. On ne peut rien faire sans le médiateur, mais le médiateur doit disparaître comme tel, non point en mettant en scène sa propre mort — ce qui renforce, en fait, son idéalisation — mais, plus médiocrement et pourtant plus difficilement, en devenant le pair avec qui l'on peut confronter ce que l'on croit et ce que l'on sait et dont on oublie souvent, comme par inadvertance, ce qu'on lui doit. Curieusement même, cette ingratitude est ressentie d'autant plus durement par l'éducateur quand elle émane d'un sujet qui a intégré ce qui lui a été donné à apprendre et refoule même jusqu'au souvenir de son origine. La révolte, elle, en ce qu'elle suppose une fixation intense sur l'objet transmis et les conditions de sa transmission, est, à bien des égards, plus facile à accepter. L'émancipation tranquille, celle qui, sereinement, « en prend et en laisse », celle qui ne se croit pas contrainte à la citation déférente ou à l'agression systématique est parfois plus difficile à vivre.

Et ce phénomène nous alerte, me semble-t-il, sur une difficulté majeure : comment assumer pleinement la nécessaire médiation-relation sans compromettre la possibilité de la médiation-séparation ? Comment réussir la première de ces tâches sans créer une dépendance si forte, positive ou négative, qu'elle interdise la seconde ? Peut-on éviter de faire payer au sujet que l'on éduque ce que l'on fait pour lui par un surcroît de dépendance vis-à-vis de l'éducateur et des situations éducatives qu'il a mises en place ? Séductrice ou oppressive, la relation éducative doit toujours affronter la tentation de se pérenniser en distribuant à ses partenaires quelques bienfaits pervers : à l'éducateur le sentiment de sa toute-puissance et le goût subtil d'une petite immortalité ; à l'éduqué le confort du mimétisme aveugle ou celui du refus systématique ; à l'un et à l'autre le bien-être d'une situation d'où toute aventure est bannie et dans laquelle on peut s'enfoncer en une mort tranquille sous les bons auspices d'une institution bienveillante.

Toute la difficulté de l'entreprise éducative tient, en effet, au fait qu'il s'agit d'un projet d'« élévation » qui risque d'être figé par sa propre réalisation. La dénivellation flagrante qu'il comporte d'entrée de jeu doit y être, en effet, progressivement réduite jusqu'à disparaître complètement. Mais cette opération, si elle reste de la responsabilité de l'éducateur, reconstitue en permanence ce qu'elle prétend supprimer. Comme Achille, dont on sait que, selon un des célèbres paradoxes de Zénon, il ne peut rattraper la tortue puisque celle-ci est partie avec un peu d'avance sur lui et qu'elle ne reste jamais immobile pendant qu'il court derrière elle, l'éduqué, dans cette perspective, ne peut jamais rattraper l'éducateur. L'éducation est alors tout entière condamnée à n'être qu'une course étrange où l'antériorité conserve toujours son avance et qui ne trouve son sens qu'en référence à un hypothétique premier éducateur. Ainsi comprise, l'entreprise est évidemment tragiquement reproductrice, chacun restant à la fois en retard sur ceux qui l'ont éduqué et en avance sur ceux qu'il éduque, tributaire des premiers et dominateur des seconds.

Que faut-il donc alors pour que ce processus soit interrompu ? Que faut-il pour que le pouvoir de l'éducateur n'engendre pas, sous une forme ou sous une autre, la dépendance à son égard ? Sans doute doit-on s'interroger, pour répondre à ces difficiles questions, sur la possible existence d'un équilibrateur, de « quelque chose » qui ait un caractère suffisamment fixe pour que cela puisse arrêter la course folle, servir de point d'appui extérieur pour réduire, sinon inverser l'écart. A terme, il s'agit bien d'offrir la possibilité à l'éduqué de se hisser aussi haut que l'éducateur, plus haut même, sans que ce dernier puisse l'y aider et savourer une victoire récupératrice dans l'ultime coup de main qu'il lui donnerait. Il s'agit de lui permettre d'être progressivement à armes égales avec le maître, non point son adversaire, comme l'expression pourrait le laisser penser, mais son partenaire, capable de se mettre en jeu avec lui en face d'un objet-tiers et d'engager un échange où la force des convictions et le poids des argumentations ne s'affrontent pas dans un rapport de force ou de captation réciproque mais soient mis ensemble à l'épreuve d'un référent commun[1]. De tels objets-tiers par

1. Un des auteurs qui a, sans doute, le mieux exprimé — parce qu'il l'a vécue le plus intensément — cette situation est P. Freire. On sait que celui-ci a été confronté à la tâche d'alphabétiser des paysans brésiliens. Or, dans le même temps, son projet politique était bien d'émanciper ceux qu'il était chargé d'instruire. La question difficile était pour lui alors : comment un rapport aussi inégalitaire que celui que l'on institue dans une situation d'alphabétisation d'adultes peut être aussi générateur de liberté, engager une dynamique irréversible où l'autre devient capable de rejoindre son éducateur jusqu'à décider de prendre lui-même son destin en main ?

On ne parvient jamais à cela, pense P. Freire, tant que le rapport éducatif demeure « bancaire », c'est-à-dire marqué par la supériorité de celui qui a et qui donne sur celui qui reçoit. En revanche, on peut, explique-t-il, sortir du dilemme en affirmant que « personne n'éduque autrui, personne ne s'éduque seul, les hommes s'éduquent ensemble par l'intermédiaire du monde » (*Pédagogie des opprimés*, Maspero, Paris, 1967, page 62). L'essentiel, ajoute P. Freire, c'est que « l'objet connaissable cesse d'être propriété » (*ibid.*, page 63) et que sa présence comme médiation modifie radicalement le rapport de l'éducateur et de l'éduqué. Et il argumente sa conception en

lesquels l'éduqué se découvre l'égal de l'éducateur et dans lesquels il puise le courage de s'affirmer comme tel, peut-être peut-on simplement les nommer des « objets culturels » ? Et peut-être peut-on dire aussi que c'est à sa capacité à inspirer de telles attitudes que l'on reconnaît ce que les hommes ont nommé « la culture » ? Ce ne serait alors que dans la mesure où elle est porteuse de cette « culture » que la parole éducative détiendrait quelque légitimité.[2]

---

s'appuyant sur l'approche phénoménologique, expliquant que, si sous un angle « objectif », le savoir précède le mouvement de son appropriation, sur le plan du sujet apprenant, il n'en est rien. Ainsi la méthode et le savoir, l'acte pédagogique et l'apprentissage sont donnés d'un même coup, dans le même temps où ses partenaires accèdent à l'émancipation. En d'autres termes, tant que l'éducateur détient le savoir avant de le donner, il infériorise le récepteur ; en revanche, quand les deux partenaires « se donnent » le savoir ensemble, leur rapport devient émancipateur... Cela suppose alors, pour P. FREIRE, que ce rapport ne s'institue pas dans un univers abstrait (« un monde sans l'homme ou un homme sans le monde ») mais bien en travaillant à partir des situations dans lesquelles les hommes se trouvent. Je développerai, à ma manière, ce point de vue dans les chapitres 22, 23 et 24.

2. F. IMBERT, dans une analyse particulièrement stimulante de l'*Emile* de ROUSSEAU (*L'EMILE ou l'interdit de la jouissance*, Armand Colin, Paris, 1989), reconnaît en lui un des pédagogues qui a le mieux perçu l'importance de la médiation. Refusant que l'éducation soit le fait d'une autorité qui contraint un sujet par « l'imposition d'une règle, l'empreinte d'un moule », il la conçoit comme « l'articulation de dispositifs de médiation » (page 187). Le pédagogue a ici pour rôle de contribuer à « instituer » des « objets » qui permettent au sujet de se dégager de son « affectivité destructrice » (page 107), que celle-ci se fixe sur son propre narcissisme ou se cristallise en une identification non distanciée avec l'éducateur. Il s'agit donc de créer des situations qui soient éducatrices, c'est-à-dire qui « le mettront dans la nécessité de renoncer à sa pulsion à tout-faire et à faire le Tout pour l'enfant, et de garantir l'ouverture d'un champ de réciprocité et d'apprentissage » (page 117).
Dans cette perspective, le travail du courant de la pédagogie institutionnelle représenté par F. OURY apparaît bien comme le plus susceptible d'instrumenter l'idée de médiation : « Les situations induisent des fantasmes, des désirs favorisant ou non certains transferts : tel ici qui dicte son cours a plus de chances d'être ressenti comme Maître détenteur d'un Savoir que tel autre qui aide les enfants à mettre au point leur texte pour leur journal. Or ces situations sont liées au type d'activité, à l'organisation du travail et des groupements, aux rôles et statuts des uns et des autres. Donc plutôt que d'intervenir directement, d'agir sur l'élève ou sur les relations, nous introduisons des médiations, des activités, des institutions » (C. POCHET, F. OURY et J. OURY, *L'année dernière j'étais mort*, Matrice, Vigneux, 1986, page 121).
Je partage, pour ma part, une telle analyse même si, me semble-t-il, elle ne fait pas une place suffisante à l'objet culturel comme médiation. Cela me paraît cependant explicable ici en raison des conditions de constitution de la pédagogie institutionnelle, proche de la psychothérapie et qui a travaillé surtout sur des classes scolarisant des élèves en grande difficulté. Pour ces derniers, effectivement, la médiation culturelle peut apparaître bien dérisoire au regard de leurs dysfonctionnements psychologiques. Je crois donc qu'il faut saluer le travail des praticiens de la pédagogie institutionnelle

sans faire la fine bouche, eu égard à la difficulté des situations qu'ils affrontent. Cela n'interdit pas de s'interroger, pour autant, comme j'essaye de le faire dans les chapitres qui suivent, sur le statut possible de l'objet culturel comme médiation.
Je rejoins ici les remarques d'A. N. PERRET-CLERMONT lorsqu'elle explique : « Quand on observe des transactions pédagogiques entre un maître et un élève (...), il pourrait être fécond d'examiner quel espace propre les personnes en présence laissent à la réalité de l'objet figurant sur le troisième pôle ? (...) Ce n'est sans doute que si la relation permet de dégager un espace de confrontation autour de l'objet que celui-ci peut « exister » de façon telle à résister aux captures que les sujets pourraient risquer d'opérer sur lui au titre du fonctionnement symbolique » (*Interagir et connaître*, Delval, Fribourg, Suisse, 1987). Et c'est seulement, sans doute, dans la mesure où l'objet existe que les sujets, grâce au point d'appui qu'il représente, peuvent exister eux aussi et accéder à l'altérité.

21

De la parole

Chacun sait que l'on parle beaucoup à l'Ecole. Ou, plus exactement, que les enseignants y parlent beaucoup. Les élèves, eux, bavardent... Car, quand ils ne répondent pas aux questions du maître en répétant ou en anticipant avec plus ou moins de précision les paroles de celui-ci, leur discours y est perçu, pour l'essentiel, comme insignifiant ou inutile, voire même, pour peu que l'enseignant soit inquiet, comme l'expression d'un obscur complot dont il serait inévitablement la victime.

De tous côtés, pourtant, l'hégémonie de la parole magistrale est contestée. Les théoriciens des « méthodes actives », relayés par les psychologues cognitivistes, ont montré depuis longtemps et avec insistance le caractère particulièrement difficile et sélectif de l'écoute d'un cours. L'attention n'y est pas spontanée, elle est subordonnée à l'existence d'un questionnement préalable ou, au moins, d'une ouverture à la parole d'autrui que l'on ne suppose « naturels » que pour mieux sélectionner ceux qui y ont déjà été formés. L'appropriation elle-même requiert un retraitement de l'information qui passe par la construction d'images mentales dans laquelle la verbalisation joue, au moins pour une partie des sujets, un rôle moteur[1]. Dans un autre registre, les psy-

---

1. Faut-il rappeler ici les travaux d'A. de la GARANDERIE sur les profils pédagogiques (*Les profils pédagogiques*, Le Centurion, Paris, 1980) ? On sait que cet auteur a travaillé sur les apprentissages en s'intéressant, plus particulièrement, à l'acte d'évocation par lequel un sujet rend présent à son esprit un objet mental ; on sait surtout que cette « gestion mentale » s'effectue, pour lui, selon la nature des objets concernés (ce qu'il nomme les « paramètres »), de manière plutôt auditive ou plutôt visuelle.
Je crois, pour ma part, que l'approche de la gestion mentale est intéressante en ce qu'elle insiste sur la nécessité de l'évocation dans l'apprentissage et souligne une des différences essentielles dans les stratégies cognitives des sujets. Mais j'ai expliqué par ailleurs (*Enseigner, scénario pour un métier nouveau*, ESF éditeur, Paris, 2e édition, 1990, pages 44 à 82) que, pour moi, cette conception se focalisait trop sur une des

chologues et les psychosociologues ont insisté très largement sur le rôle de l'écoute dans la communication, affirmant tous, plus ou moins, que le crédit que l'on fait à une parole est intimement lié à la capacité de celui qui parle à entendre celui à qui il parle. En même temps et avec une convergence insistante, les pédagogues ont souligné l'importance de l'activité du sujet dans ses apprentissages et ont exhorté le maître à faire agir l'élève, à observer son travail et à n'intervenir que dans la mesure où, précisément, la parole qui vient du dehors est strictement nécessaire à la dynamique qui se met en route au-dedans. Plus simplement, même, on n'a pas manqué, depuis quelques années, de faire remarquer que la parole magistrale, nécessaire à une époque où aucun autre moyen de communication n'était disponible, était rendue caduque par la seule existence de livres que l'on peut consulter à son propre rythme, qui permettent de s'arrêter sur une difficulté, de revenir en arrière, d'avoir sous les yeux et simultanément un ensemble moins fugace et plus saisissable que le plus répétitif des discours. On retrouve d'ailleurs de tels avantages, formidablement multipliés, dans les technologies nouvelles comme l'audio-visuel, l'informatique ou la télématique qui pourraient, dans bien des cas, si l'on s'en tenait à la seule question de l'efficacité d'une transmission, se substituer avantageusement au cours magistral.

Et pourtant le cours résiste ; il domine même encore très largement à l'Ecole, en dépit de tous les assauts et de toutes les remises en cause. Il domine au point d'incarner, dans les représentations communes, l'institution scolaire elle-même et de s'identifier à elle. Il domine tellement massivement que ceux-là mêmes qui se sont rendus, un temps, aux arguments pédagogiques pour l'abandonner, au moins partiellement, y reviennent finalement assez souvent, avec quelque mauvaise conscience, certes, mais en avouant presque toujours qu'ils y prennent un certain plaisir ou, au moins, y ressentent une satisfaction oubliée.

C'est donc que la parole magistrale n'est peut-être pas d'abord essentiellement fonctionnelle, qu'elle obéit à une autre logique, qu'elle comporte un tout autre enjeu que celui de la « simple transmission » de

---

composantes de l'apprentissage (les « variables-sujet ») et négligeait les domaines, pourtant essentiels à mes yeux, de ce qui peut « donner sens » aux apprentissages (les pratiques de référence) et ce qui permet la construction des savoirs (les opérations mentales qui en constituent des « invariants structurels »). En d'autres termes, la gestion mentale est une aide précieuse pour l'aide au travail personnel et, en particulier, pour l'aide à la mémorisation ; en revanche, elle doit être complétée par une recherche sur les moyens de finaliser les apprentissages et d'élaborer des dispositifs didactiques structurés à partir des opérations mentales à effectuer (voir, sur ce sujet, le chapitre 16 : « L'obstination didactique et la tolérance pédagogique »).

connaissances pour lesquelles ses performances sont limitées... On dira alors que c'est précisément cette imperfection qui la rend si précieuse puisqu'elle l'amène à sélectionner ceux des élèves qui disposent d'un héritage culturel leur permettant d'en bénéficier et les faisant apparaître comme les plus doués et les plus méritants à la fois, les plus à même d'exercer des responsabilités sociales. Certes. Mais l'approche sociologique n'épuise pas le problème. Et les sociologues eux-mêmes, qui détaillent dans leurs cours magistraux les méfaits de la magistralité, en savent quelque chose. Ils éprouvent bien, comme les autres, un irrépressible besoin de dire et d'exposer. Comme les pédagogues spécialistes des méthodes actives qui aiment tant faire la leçon pour expliquer qu'il ne faut point en faire. Comme moi-même ici et ailleurs, qui n'ai que le mot « dispositif » à la bouche et qui aime pourtant à expliquer, à me justifier, à convaincre, à parler devant un auditoire que je sens — ou crois sentir — suspendu à mes lèvres... et cela en dépit de la peur qui me tenaille, chaque fois, avant de prendre la parole, malgré les faibles retombées de mon propos, malgré même la déception ressentie bien souvent quand il s'agit d'en évaluer les effets.

C'est qu'il y a sans doute dans l'exposé une sorte de jouissance de la prise de possession de sa propre pensée, comme le fait de coïncider avec sa parole et avec ce qu'elle énonce, de donner corps et voix — son corps et sa voix — à un savoir ou à une idée. Et l'on découvre ainsi, à chaque fois, que la pensée ne préexiste pas à ce qui l'exprime, que l'exposé est à la fois ce qui la dynamise et ce qui la structure... Il serait d'ailleurs faux de croire que ce type de satisfactions est réservé aux universitaires ; dans tout enseignement, on peut goûter de l'adéquation d'une parole avec son objet, apprécier la perfection avec laquelle une forme et un contenu se définissent réciproquement. On peut penser aussi que le fait d'assister à un tel exercice est particulièrement bénéfique pour l'auditoire : la découverte d'une pensée qui prend corps sous vos yeux, hésite, se cherche, se lance, se donne à voir dans son cheminement et se propose dans son accomplissement, doit pouvoir contribuer à la découverte du bonheur de connaître sans lequel tous les efforts didactiques seraient vains. Plus encore, dans l'exposé, le maître se livre en quelque sorte à l'auditoire, et le caractère inévitablement précaire, fragile — humain donc — de sa performance doit permettre à l'autre de s'en dégager. C'est pourquoi les tics de langage, les maladresses et les lapsus ne compromettent que rarement la réussite d'un cours ; bien au contraire, ils lui confèrent cette légère imperfection qui suscite la tendresse et autorise la distance. La parole qui se risque ainsi travaille toujours sans filet, et la menace de dérapage révèle sa vulnérabilité. En enseignant ainsi, le maître donne alors, peut-être, à celui qui l'écoute, les moyens de son émancipation.

Plus encore, l'exposé peut être compris comme une sorte d'appel à l'intelligence et à la liberté d'autrui, un moyen de susciter l'exercice de son entendement en l'interpellant d'emblée comme sujet. L'effort pour dire, présenter les choses dans leur plus grande clarté, aller le plus loin possible dans leur définition, les dégager de l'ambiguïté et de la confusion, est toujours aussi, consubstantiellement, une adresse à l'attention d'autrui qui lui désigne un objet-tiers et lui donne le moyen d'échapper à la captation de celui qui parle[2].

Mais nous sommes loin ici de l'affirmation naïve du caractère miraculeusement bénéfique de la magistralité. Ce que je viens de décrire et qui opère dans la parole magistrale n'est pas la structure théâtrale qui régit les positions géographiques et hiérarchiques des personnes, ce qui opère c'est l'effort du maître pour dégager la relation qu'il entretient avec l'autre de la simple connivence ou de la trouble complicité. Ce qui joue au cœur de la magistralité en ce qu'elle a de plus positif, ce n'est pas la magistralité elle-même, c'est l'option éthique qu'elle révèle, le choix délibéré de purifier sa parole, autant que faire se peut, des résidus de la seule séduction pour offrir un point d'appui, en extériorité par rapport à celui qui parle, et qui permette à celui qui écoute d'exister comme véritablement autre. C'est parce qu'il peut se saisir de quelque chose qui dépasse et déborde la seule relation duelle d'enseignement que le sujet peut « s'en sortir »[3].

---

2. E. LEVINAS montre bien, dans *Totalité et infini* (Nijhoff, The Hague, 1984) qu'un authentique enseignement consiste à « aborder autrui de face, dans un véritable discours » (page 42). L'ensemble de l'ouvrage présente en effet l'« expérience morale » comme expérience de l'extériorité radicale de l'Autre se manifestant par ce qu'E. LEVINAS nomme son « visage ». Cette extériorité déborde toute totalité, toute tentative de la neutraliser en la pensant, en l'interprétant, voire en la « fondant ». L'extériorité représente ainsi une résistance absolue, le visage nous affecte à l'impératif, nous interpelle à un face à face qui demeure la situation ultime (page 53). La parole qui enseigne est donc celle par laquelle le monde devient objet (page 72), c'est-à-dire par laquelle l'expérience de l'extériorité de l'autre devient possible. Le maître, en tentant de me rendre saisissable ce dont il me parle, m'appelle, interpelle mon attention, car « l'attention est attention à quelque chose parce qu'elle est attention à quelqu'un. L'extériorité de son point de départ lui est essentielle, à elle, qui est la tension même du moi. L'école, sans laquelle aucune pensée n'est explicite, conditionne la science. C'est là que s'affirme l'extériorité qui accomplit la liberté au lieu de la blesser : l'extériorité du maître.(...) Le premier enseignement de l'enseignant, c'est sa présence même d'enseignant » (page 73).

3. C'est Philippe NEMO qui explique que « l'enseignement magistral, dans la mesure où il s'expose, donne occasion à l'élève de l'évaluer et de le réfuter ; dans la mesure où

Autant dire que la magistralité comme « méthode expositive d'enseignement » ne présente, en elle-même et sur ce plan, aucune garantie. Peut-être même est-elle la plus sujette aux ambiguïtés de toutes sortes et, sans aucun doute, le soupçon sélectif qui pèse sur elle est-il fondé ? En réalité, aucune méthode, quelle qu'elle soit, et aucun positionnement particulier de l'enseignant — pas plus l'exposé devant une classe que l'aide individualisée, l'organisation d'un travail de groupe ou d'un dispositif expérimental — ne peuvent le dispenser de s'interroger sur la dimension éthique de ses actes. Je crois simplement, pour ma part, qu'une des caractéristiques particulières de la magistralité est d'avoir, peut-être un peu plus que les autres méthodes, une sorte d'effet grossissant, de fonctionner un peu comme une loupe et de révéler plus clairement l'exigence éthique dont elle est porteuse ou, plus violemment, sa tragique absence...

Pourtant, la frontière est mince entre la mascarade et l'authenticité, si mince qu'on la franchit souvent et dans les deux sens chaque fois que l'on a l'impudence de prendre la parole. Mais, peut-être peut-on échapper, si ce n'est aux oscillations entre l'une et l'autre, au moins à l'ambiguïté permanente ? Et peut-être peut-on disposer de quelques repères pour cela si l'on consent à ce que l'authenticité de la parole renvoie à ce qu'il faut bien nommer une éthique de la culture ? En d'autres termes, peut-être faut-il se demander si la capacité d'une parole à susciter l'émergence d'autrui n'est pas étroitement liée à la détermination de celui qui parle de construire, par son discours, un objet sur lequel l'autre ait quelque prise ?

On voit que, sur ce plan tout au moins, le cours magistral ne mérite ni l'excès d'honneur ni l'indignité qu'on lui fait. Rien ne s'oppose en soi à son usage mais rien ne l'impose formellement non plus. Rien n'interdit, surtout, de le considérer dans la perspective d'une différenciation pédagogique comme un des moyens offerts au maître pour la présentation et l'appropriation des savoirs, un moyen à

---

il se situe dans le concret d'une parole dont l'auteur est présent, il se relativise » (*L'homme structural*, Grasset, Paris, 1975, page 155). Certes, mais pourquoi attribuer à l'enseignement magistral des vertus qu'il peut avoir mais qui ne sont pas constitutives de son identité méthodologique ? Le maître qui organise un travail de groupe ou qui anime une séance de travail individualisé s'expose-t-il moins à la critique des élèves ? De plus, on peut légitimement se demander si l'objectif de tout enseignement n'est pas précisément de former à l'évaluation de ses effets. En considérant qu'une méthode permet cette évaluation de manière presque spontanée, ne risque-t-on pas de faire précisément l'économie de la formation de l'élève à cette évaluation ?

utiliser et à réguler en fonction de la nature de l'objectif visé, des stratégies cognitives des apprenants et de la personnalité de l'enseignant[4]. Un moyen à interroger toujours doublement — comme toutes les méthodes pédagogiques — sous l'angle de son efficacité didactique et sous celui de la détermination éthique dont il est porteur.

---

4. J'ai tenté d'étudier les corrélations entre le degré de réussite d'une méthode et chacun de ces trois facteurs : le cours magistral apparaît comme relativement efficace quand il s'agit d'objectifs de repérage ou de formalisation, autrement dit quand il intervient aux deux bouts de la chaîne de l'apprentissage, au début pour présenter une notion ou un événement et sensibiliser l'élève, à la fin, pour reprendre, mettre en perspective et synthétiser ce qui a été découvert. En revanche, il est nettement moins efficace pour des objectifs d'appropriation et de transfert. Par ailleurs, le cours magistral apparaît plus facilement utilisable avec des élèves étant déjà d'un bon niveau scolaire et disposant d'un environnement socio-culturel stimulant. Enfin, certains maîtres dont la personnalité associe une « dominante cognitive » — et qui sont donc soucieux d'une grande cohérence dans le traitement d'un contenu — avec une part d'affectivité — qui les rend sensibles à l'adhésion d'autrui et désireux de « s'offrir » à son accord — utilisent la magistralité avec plus de profit que des collègues à dominante affective ou imaginative qui, eux, trouvent à s'exprimer plus facilement dans une situation individualisée ou expérimentale (*Outils pour apprendre en groupe — Apprendre en groupe ?* 2, Chronique sociale, Lyon, 3e édition, 1989, pages 82 à 97).

22

De la culture scolaire

Les disciplines d'enseignement ont été longtemps perçues comme de simples transpositions des « disciplines scientifiques » et les savoirs scolaires comme des projections appauvries des « savoirs savants ». On croyait alors que l'habileté des faiseurs de programme se réduisait à leur capacité à élaborer des progressions rigoureuses au terme desquelles l'étudiant, pourvu qu'il ait correctement écouté ses maîtres, pouvait espérer rejoindre les plus grands chercheurs de son temps et discuter d'égal à égal avec eux. L'ontogenèse devait reproduire la phylogenèse, au moins pour quelques-uns, les plus doués ou les plus assidus, les mieux préparés ou les plus motivés.

Mais, à l'expérience, les choses ne se révèlent pas aussi simples et l'on discerne mieux aujourd'hui qu'une discipline d'enseignement ne peut pas être considérée comme la simple transposition scolaire d'une discipline scientifique déterminée qui comporte, elle, un système de validation spécifique et se présente comme épistémologiquement homogène[1].

---

1. La « simplicité » de la transposition didactique est aujourd'hui considérée comme un leurre, en particulier depuis que les didacticiens des mathématiques l'ont analysée sur quelques exemples précis et ont mis en lumière les déformations que subissent concepts et théories quand ils passent de la recherche à l'enseignement. Y CHEVALLARD et M.A. JOHSUA, en particulier, ont fait ce travail pour la notion mathématique de distance (« Un exemple d'analyse de la transposition didactique : la notion de distance », *Recherches en didactique des mathématiques*, La Pensée sauvage, Grenoble, 1982, volume 3.1) : ils montrent bien que la notion de distance utilisée dans l'enseignement pour nommer la distance entre deux points évacue la signification que lui avait donnée ses promoteurs dans le registre de l'analyse fonctionnelle.
M. DEVELAY et J. P. ASTOLFI, examinant la notion de transposition didactique dans le domaine de la biologie, notent, de leur côté, que « les transformations que subit dans l'école le savoir savant doivent moins être interprétées en termes de déviation ou de dégradation (...) qu'en termes de nécessité constitutive qu'il y a à analyser comme telle » (*La didactique des sciences*, PUF, Collection « Que sais-je ? », Paris, 1989, page

Il faut rappeler en effet que les disciplines enseignées ne recouvrent pas aujourd'hui — et de très loin — les catégories épistémologiques des chercheurs ; cela est vrai, bien évidemment, pour des disciplines composites comme l'histoire-géographie, les sciences naturelles ou la technologie, mais cela est vrai également pour des disciplines disposant apparemment d'une certaine homogénéité : le français renvoie à la fois à la grammaire, à la linguistique, à l'analyse littéraire, à l'histoire et à bien d'autres choses encore, comme les mathématiques — dès l'école primaire — font appel à l'apprentissage de techniques opératoires aussi bien qu'à celui de la représentation symbolique de figurations spatiales.

Certains, je le conçois parfaitement, regrettent cet état de fait et l'imputent à des contraintes matérielles comme le manque de temps ou la parcellisation des horaires qu'imposerait inévitablement la présence à l'Ecole de toutes les disciplines scientifiques existantes. Ils se résignent alors à la situation actuelle comme on se résigne à un moindre mal, regrettant la polyvalence forcée des maîtres et espérant pouvoir un jour en venir à bout... Mais il me semble, pour ma part, que cette aspiration est très largement fondée sur un malentendu ou, plus exactement, sur l'ignorance de ce qui a constitué historiquement les disciplines scolaires ainsi que de la manière dont elles peuvent, aujourd'hui, s'articuler sur les finalités de l'Ecole.

Si l'on observe, en effet, ce qui structure une « discipline d'enseignement » on est bien obligé de convenir que ce sont d'abord des « tâches », c'est-à-dire des exercices qui obéissent très largement à des conventions et qui constituent le référent de l'enseignement dispensé ainsi que le moyen d'en évaluer les résultats. Quoi qu'il en soit, par ailleurs, des programmes notionnels, des trames conceptuelles, des intentions pédagogiques de toutes sortes, la pierre de touche de chaque dis-

---

46). Je me rallie, pour ma part, à cette analyse, considérant que la « didactisation » d'un savoir, c'est-à-dire son exposition systématique dans des lieux spécifiques destinés à l'apprentissage (pour échapper à l'aléatoire de la rencontre avec lui et faire l'économie d'une part — mais d'une part seulement — du tâtonnement qui fut nécessaire pour l'élaborer) introduit des contraintes particulières.
Plus encore, je crois que la culture scolaire ne peut être comprise comme une « application » de la culture savante car elles n'ont pas la même vocation : la première se caractérise par le fait qu'elle peut et doit être partagée par le plus grand nombre, la seconde par le fait qu'elle est un outil performant pour des spécialistes qui, au fur et à mesure qu'ils l'approfondiront sur des points de plus en plus particuliers, seront de moins en moins nombreux... ce qui ne veut pas dire, évidemment, qu'elles n'entretiennent pas de rapport entre elles.

cipline est bien « le produit » à la fabrication duquel on forme les élèves et qui organise la formation qu'ils reçoivent : qu'il s'agisse de réciter un poème devant une classe, de résoudre un problème d'algèbre, de rédiger une dissertation littéraire ou le compte rendu d'une expérience biologique, d'usiner une pièce ou de tracer la courbe d'une production économique... on est toujours en face de tâches scolaires qui peuvent, dans certains cas, faire appel à des champs disciplinaires relativement hétérogènes au regard de l'orthodoxie scientifique, mais qui ont bien une identité scolaire dont doivent se saisir à la fois enseignants et élèves pour parvenir à travailler ensemble à des objectifs communs.

Je ne vois guère d'ailleurs comment on pourrait éviter cela dans la mesure où la représentation d'une tâche est sans doute le moyen le plus efficace d'engager et d'orienter l'activité humaine, dès lors que celle-ci n'est pas une activité de recherche aléatoire, qu'on la soumet à des impératifs sociaux définis à l'avance et qu'on veut évaluer les résultats obtenus. On n'a donc rien à regretter ni aucune nostalgie à entretenir : une formation est toujours assujettie à des tâches dont elle vise la maîtrise et qui président à son institutionnalisation. Toute la question est de savoir si, à travers l'apprentissage de la réalisation de ces tâches dans la situation de formation elle-même, le sujet acquiert aussi autre chose et parvient à la maîtrise d'outils intellectuels qui lui permettront de comprendre et de résoudre les problèmes qu'il est susceptible de rencontrer, ailleurs qu'en formation, dans sa vie personnelle, dans son activité professionnelle comme dans l'exercice de sa citoyenneté.

Je sais bien que le terme de « problème » comporte, dans la langue française, de nombreuses connotations négatives ; il évoque sûrement, pour beaucoup de lecteurs, « l'adolescent en crise » ou le bricoleur qui rencontre des difficultés très concrètes pour agencer deux pièces d'une machine. Je sais également que, dans son acception anglo-saxonne, il renvoie à des situations de pure fonctionnalité et suggère une attitude de pragmatisme systématique. Mais, dans le sens où je comprends les choses ici, un poème de BAUDELAIRE, une théorie physique ou une analyse historique constituent tout autant des réponses possibles à des « problèmes » que la maîtrise de la proportionnalité, de l'accord du participe passé ou de la forme interrogative dans une langue étrangère. Car un problème, pour moi, est simplement une « situation en attente de sens », un moment où les choses se présentent avec l'évidence de leur incomplétude et nous amènent à nous tourner vers des objets qui nous permettent, un instant, de pressentir le bonheur d'un achèvement. Oeuvre artistique ou théorie scientifique, savoir-faire artisanal ou technique, l'« objet culturel » a donc ce privilège extraordinaire de nous amener au rivage d'une sorte d'harmonie éternitaire entre ce que nous découvrons de nous et ce que nous apercevons au-dehors, quand notre visée s'accorde à ce qu'elle rencontre et que l'objet rencontré lui confère toute sa portée[2].

Dans cette perspective, la culture scolaire peut bien, me semble-t-il, être considérée comme l'ensemble des outils intellectuels susceptibles de donner au sujet l'intelligence de lui-même, la capacité de vivre un peu plus pleinement toutes les dimensions de son existence, ses tensions affectives et sa vie professionnelle, ses relations avec autrui et son rapport au monde. Les disciplines scolaires deviennent alors des configurations épistémologiques originales centrées autour de « tâches » particulières qui sont, précisément, celles où l'on peut apprendre à affronter certains problèmes considérés comme essentiels... La dissertation de philosophie, le commentaire de carte en géographie, l'exercice de mathématiques ou la version anglaise sont, en effet, des tâches qui doivent, en tant que telles, faire l'objet, pour celui qui cherche à les effectuer comme pour celui qui veut les apprendre à autrui, d'une représentation en termes de « produits finis ». Dans une situation didactique, il conviendra donc de préciser le plus rigoureusement possible les critères de leur réussite afin d'orienter correctement les propositions du maître et l'activité des élèves. Mais, en réalité, nous savons bien que ces tâches n'ont d'intérêt que parce que, à travers elles, un sujet s'affronte à des problèmes et s'approprie les moyens de les résoudre.

Que l'on m'entende bien : cela ne veut pas dire pour moi que les disciplines sont de simples prétextes et que, à l'occasion de leur étude, on acquiert des capacités très générales qui n'ont aucun rapport avec elles ou seulement un rapport très lointain. Je suis convaincu, au

2. C'est G. SNYDERS, pourtant grand pourfendeur de la non-directivité et ardent défenseur d'une « pédagogie de la culture » qui écrit dans son dernier ouvrage, (*L'Ecole peut-elle enseigner les joies de la musique ?*, EAP, Paris, 1989) : « L'enseignant s'attachera (...) à montrer comment les très grands font corps avec les tendances, les préoccupations de leurs semblables, adhèrent aux espoirs humains ; leur génie est de donner forme, de mener jusqu'au bout des façons de penser et de ressentir déjà existantes, mais qui restaient indistinctes, incertaines, seulement ébauchées ou mêlées à tant d'éléments hétérogènes » (page 38). Et, plus loin, il utilise le terme même de « problème » pour désigner ce qui peut donner sens à l'ensemble des disciplines enseignées. C'est dire que ma conception, en dépit des apparences, n'est pas celle du relativisme culturel. En revanche, ceux qui clament l'universalité de la culture et ne cherchent aucunement les moyens de la faire apparaître à chacun comme une nécessité, ceux-là relativisent *de facto* leur projet en réservant l'appropriation à une minorité (voir, sur ce thème, le chapitre 14, « La modestie de l'universel »).

contraire, que les disciplines ne permettent d'apprendre à résoudre que les problèmes qu'elles permettent de poser et je crois que ces problèmes varient suffisamment de l'une à l'autre pour que le choix de l'une plutôt que de l'autre ne soit jamais indifférent. Mais je tiens aussi à ajouter que ces problèmes sont peut-être plus complexes qu'on ne le croit, en particulier parce qu'ils comportent, au-delà de leur spécificité cognitive, des dimensions affectives et parfois psycho-motrices, que l'on ne peut ignorer sans compromettre gravement leur résolution. Ainsi, par exemple, animer une réunion pour prendre une décision en matière de gestion d'entreprise, réaliser une expérience pour montrer qu'un animal respire, soumettre un document historique à un examen critique sur son authenticité, lancer un ballon sur une cible verticale, sont autant de tâches qui posent des problèmes multidimensionnels, faisant appel, chaque fois, à des connaissances techniques particulières, à des capacités de recueil d'informations — elle-mêmes liées à l'existence de mémoires de travail spécifiques —, à des attitudes impliquant l'affectivité — comme la tolérance à l'incertitude, la prise de risque, etc.[3] Ce qui est important, pour le sujet, c'est d'être capable d'identifier très précisément la nature de ces problèmes et d'ajuster chaque fois les réponses... sans les reproduire dans des contextes inadéquats mais sans s'interdire de les mobiliser dans des contextes identiques, même si ces contextes sont étrangers à l'Ecole et apparemment très éloignés de la situation d'apprentissage[4].

Ou bien, en effet, il faut se résigner au fait que ce que l'on apprend à l'Ecole ne sert qu'à réussir à l'Ecole, ou bien il faut convenir que ce qui se forme à l'Ecole c'est le pouvoir de mettre en correspondance une « situation qui fait problème », correctement identifiée dans

---

3. Ma conception de la notion de « tâche » est ici proche de celle d'un psychologue comme J. F. RICHARD qui explique qu'« une tâche est caractérisée par un résultat à atteindre, par des contraintes dans l'obtention de ce résultat et par un domaine de connaissances spécifiques » (*Les activités mentales*, Armand Colin, Paris, 1990, page 16). Il me semble simplement que l'on oublie trop souvent les dimensions socio-affectives dans les descriptions que l'on fait de la tâche. Or ces dimensions comptent beaucoup à l'Ecole et font, par exemple, que réciter sa leçon au tableau devant toute une classe requiert que l'on sache régler des problèmes particuliers tout à fait différents de ceux que l'on affronte quand on est seul et que l'on travaille par écrit.

4. C'est VYGOTSKY qui, sur ce point, me semble apporter l'étayage psychologique le plus cohérent. Analysant des situations d'apprentissage déterminées, il constate que les acquisitions sont très spécifiées et que, par exemple, l'acquisition de la capacité à évaluer des distances ne signifie pas du tout que le sujet saura évaluer des poids... Effectivement, on peut montrer qu'il s'agit là de problèmes tout à fait différents en dépit de

toutes ses dimensions, avec des objets culturels qui permettent de l'assumer et de la dépasser. Et, comme les situations sont, par définition, différenciées à l'infini, jamais exactement les mêmes, même quand elles se ressemblent très fortement, la culture scolaire n'est émancipatrice que si les objets culturels sont corrélés à des ensembles relativement homogènes de situations. L'objectif est ici que l'élève devienne d'abord progressivement capable d'effectuer lui-même cette corrélation puis accède à une création originale qui est précisément l'invention d'une corrélation nouvelle.

En bref, la culture qui s'acquiert à travers une discipline d'enseignement ne libère celui qui l'acquiert que s'il devient progressivement capable de découvrir ce qui caractérise une classe de problèmes en face de laquelle il peut mobiliser un certain type de réponses, de solutions, de correspondances. La culture ne libère que si, derrière les habituels intitulés scolaires renvoyant à des tâches conventionnelles, en face de réalités nouvelles et complexes, le sujet sait identifier un « problème » pour lequel il dispose d'une solution parmi toutes les procédures qu'on lui a apprises, une « question » pour laquelle il entrevoit des éléments de réponse parmi tous les savoirs qu'on lui a proposés, un « appel » à mobiliser tel concept ou tel texte, à contempler, peut-être telle ou telle œuvre dont il pressent qu'elle va, en la circonstance, lui parler de lui[5].

---

leur proximité apparente. En revanche, on peut trouver, dans la capacité à évaluer des distances, des opérations mentales qui pourront être à l'œuvre dans la réalisation d'une figure géométrique ou un commentaire de carte géographique. Ce que VYGOTSKY exprime en disant : « Les méthodes qui permettent à un enseignement particulier d'influencer le développement général fonctionnent seulement parce que des éléments, des matériaux, des processus communs existent. (...) L'amélioration d'une fonction ou d'une activité spécifique de la conscience n'influence le développement d'autres fonctions ou activités que si elles ont des éléments en commun » (Le problème de l'enseignement et du développement mental à l'âge scolaire, *VYGOTSKY aujourd'hui*, sous la direction de B. SCHNEUWLY et J.P. BRONCKART, Delachaux et Niestlé, Neuchâtel et Paris, 1989, page 103). Je reviendrai plus précisément sur cette question dans le chapitre suivant : « Du transfert ».

5. Dans ces conditions, il est essentiel que, en dépit de la différence de statut épistémologique entre les savoirs scolaires et les savoirs scientifiques, ceux qui enseignent les premiers aient été et demeurent en contact avec les seconds. Car, quand on est totalement détaché de toute forme de recherche scientifique et que l'on a abandonné la moindre préoccupation dans ce domaine, on ne connaît les savoirs que comme des « produits » et l'on ne sait plus à quels problèmes ils répondent ou renvoient. C'est pourquoi la formation « scientifique » de l'enseignant a une fonction décisive, quoiqu'elle concerne, le plus souvent, des approches dont la complexité excède très largement ce qui sera enseigné et ne recouvre pas toujours le champ disciplinaire sur lequel il

C'est pourquoi la culture scolaire n'est émancipatrice que si l'éducation scolaire prend en charge un apprentissage essentiel, l'apprentissage à la gestion autonome des savoirs[6]. Et, cela n'est possible que si l'on identifie, dans un premier temps, les familles de problèmes que l'on souhaite qu'un sujet puisse résoudre pour comprendre et maîtriser son existence. Ce sont ces problèmes qui doivent servir, dans un second temps, à l'élaboration de programmes scolaires qui se présenteraient véritablement alors comme des ensembles ordonnés d'outils mentaux dont l'appropriation serait décisive. Et c'est à partir de l'analyse de ces derniers, dans un troisième temps, qu'il faut déterminer les tâches qui permettront de les rencontrer et d'en permettre la maîtrise. Cela étant fait, il reste encore au pédagogue la difficile charge d'élaborer des dispositifs didactiques qui rendent possible le « transfert de connaissances », condition nécessaire, s'il en est, pour que les apprentissages scolaires n'entretiennent pas la dépendance à l'égard de l'Ecole.

---

exercera son métier : il s'agit d'apprendre à problématiser, c'est-à-dire à interroger toujours les connaissances scientifiques sous l'angle des problèmes auxquels elles apportent une réponse et non en termes d'accumulation notionnelle. Il s'agit d'être capable de retrouver, dans la sédimentation inévitable des savoirs, le questionnement qui leur donne sens. C'est pourquoi je suis convaincu que la part la plus décisive dans la « formation scientifique » des maîtres est l'approche épistémologique. C'est, malheureusement, aujourd'hui, une part très faible.

6. Dans ce domaine, je ne saurais trop recommander la lecture de l'ouvrage de Gabrielle Di Lorenzo, *Questions de savoir* (ESF Editeur, Paris, 1991) qui montre comment, sans séparer aucunement « la méthode » des « connaissances » qu'elle permet d'acquérir, mais en travaillant toujours à l'articulation de l'une et des autres, on peut acquérir une capacité de gestion autonome des savoirs. Car, il est vrai que c'est cet effort permanent pour interroger les savoirs afin de trouver comment se les approprier, et, simultanément, pour interroger les méthodes afin de mesurer leur fécondité, qui est bien le garant de l'efficacité intellectuelle. Le refus radical de G. Di Lorenzo de séparer méthode et savoir correspond, dans ma propre présentation des choses, à l'affirmation qu'il n'y a jamais antériorité ni de l'identification d'une famille de problèmes par rapport aux outils qui permettent de les traiter, ni de la maîtrise de ces outils par rapport à l'identification de la famille de problèmes... il n'y a qu'appréhension interactive des deux éléments (cf. *Enseigner, scénario pour un métier nouveau*, ESF Editeur, Paris, 3e édition, 1990, pages 152 et suivantes).

23

Du transfert de connaissance

Ainsi donc ce n'est pas d'abord à la périphérie du système éducatif, dans quelques marges socio-culturelles, quelques parenthèses ludiques ou subversives, quand on échapperait enfin aux contraintes de l'apprentissage, que se joue l'émancipation d'un sujet. L'émancipation est bien plutôt dans ce mouvement difficile par lequel le sujet s'approprie des objets culturels qui lui permettent de penser le monde autrement que comme un ensemble de situations insaisissables ; elle est aussi dans tout ce que cette appropriation autorise, dans le fait qu'elle rende le sujet auteur de sa propre intelligence, capable de l'exercer en dehors des dispositifs et de la présence de son éducateur, capable de s'arracher à la dépendance de ses maîtres et aux facilités de la reproduction mimétique.

C'est pourquoi la question du transfert des connaissances[1], dans la mesure où cette expression est entendue comme signifiant la possibi-

1. D. HAMELINE parle prudemment d'objectifs « à dominante de transfert » et les décrit comme des objectifs concernant des « situations (qui) ne sont pas susceptibles d'être décrites à l'avance car elles comportent de nombreuses inconnues » (*Les objectifs pédagogiques*, ESF éditeur, Paris, 9e édition, 1991, page 160).
Mais ce qui rend difficile l'usage du terme « transfert » c'est évidemment le fait qu'il soit aussi utilisé pour désigner des réalités d'ordre essentiellement affectif, comme ce qui se passe au cours de la cure psychanalytique. Sans entrer dans une élucidation complète de cet usage du mot et en s'en tenant à sa signification dans le registre pédagogique, il faut insister sur le fait que la dimension psycho-affective — comme je l'ai déjà souligné — ne peut pas être éliminée dans la formation, sauf à se résigner à ce que cette formation sélectionne implicitement sur ce qu'elle ne forme pas. Mais on doit distinguer — au moins sur le plan méthodologique — les problèmes à dimension psycho-affective dont la maîtrise permet d'affronter des situations nouvelles (gérer l'incertitude, l'inconnu, le dégoût, la multiplicité des variables, etc.) et le problème de la dépendance vis-à-vis de celui qui éduque ou organise la situation d'apprentissage. On peut aussi faire l'hypothèse que la possibilité d'affronter les premiers permet de se dégager du second et que ce processus doit être précisément objet de formation.

lité d'utiliser à bon escient un savoir ou un savoir-faire dans un autre contexte que celui où il a été appris, n'est pas d'abord une question de psychologie. Elle est, en premier lieu, une question éthique constitutive de la possibilité même d'une éducation émancipatrice. S'il n'y a pas de transfert possible, il n'y a pas de liberté possible mais la simple duplication d'acquisitions spécifiquement didactiques, c'est-à-dire dépendantes de la situation scolaire de leur apprentissage[2]. Ce n'est donc pas à la psychologie de décréter la possibilité ou l'impossibilité du transfert, mais à la pédagogie de s'interroger sur les moyens à mettre en œuvre pour le rendre possible... à charge pour elle, évidemment, de solliciter les éclairages psychologiques susceptibles de lui permettre d'identifier au mieux les conditions de cette possibilité. Mais il n'y a aucune raison pour qu'elle renonce à ses fins propres devant l'affirmation péremptoire et de l'extérieur de la difficulté de son entreprise.

Peut-être avancerait-on, là encore, si l'on tirait toutes les conséquences de la substitution de la notion de « problème » à celle d'« exercice » ou de « devoir » scolaires ? Ce qu'il est important d'apprendre, en effet, ce n'est pas la possibilité de refaire toujours plus vite et plus exactement un exercice scolaire ou une tâche proposée dans une démarche de formation ; ce qu'il est important d'apprendre, c'est à identifier, derrière les intitulés didactiques, les structures des problèmes qui se posent et la nature des solutions à mettre en œuvre pour chacun d'eux. En bref, il s'agit de substituer à des objectifs correspondant à l'énoncé de notions des objectifs formulés en termes de « résolution de problèmes ».

Ainsi, par exemple, « apprendre à faire une contraction de texte pour acquérir l'esprit de synthèse » représente un énoncé d'intention pédagogique tout à fait respectable mais il n'est en rien un objectif opérationnel — au sens propre de ce terme — pour un formateur. En effet, on retrouve, sous un intitulé unique (la « contraction de texte »), des problèmes radicalement différents, appelant des solutions complètement hétérogènes, selon qu'il s'agit d'un texte argumentatif, d'un texte descriptif, d'un texte narratif ou injonctif, d'un compte rendu d'expé-

---

2. C'est bien ce qu'explique O. Reboul quand, réfléchissant sur « ce qui vaut la peine d'être enseigné », il explique que c'est « ce qui unit et ce qui libère ». Et il ajoute : « un enseignement libère dans la mesure où il est transférable » (*La philosophie de l'Education*, PUF, collection Que sais-je ?, Paris, 1989, page 109). Le transfert est bien donné, non comme une réalité en matière de psychologie cognitive, mais comme une finalité éducative. A la pédagogie de construire des modèles articulant à ces finalités des apports psychologiques et des propositions méthodologiques.

rience ou de celui d'une réunion-débat... Or l'efficacité intellectuelle consiste précisément à identifier le type de problème posé dans chaque cas et à mettre en œuvre l'outil spécifique et pertinent. On voit bien, ici, qu'un texte argumentatif exigera que l'on sache distinguer les exemples et les arguments et que l'on puisse hiérarchiser ces derniers ; en revanche, un texte narratif supposera plutôt la capacité à discriminer les éléments descriptifs, dont dépend la trame narrative, de ceux qui n'y jouent qu'un rôle secondaire ; le compte rendu d'une réunion contradictoire sollicitera, pour sa part, la capacité d'identifier et de classer les différents points de vue ainsi que les arguments afférents à chacun d'eux ; le compte rendu d'une expérience requerra, enfin, le repérage des corrélations qu'elle cherche à faire apparaître, la distinction de la corrélation et de la causalité, etc. Il s'agit là, chaque fois, de ce que l'on peut appeler des « familles de problèmes » différentes, que l'on peut d'ailleurs parfaitement retrouver dans des tâches pour lesquelles on ne parlera jamais de « contraction de texte ». Et le transfert efficace sera précisément le pouvoir d'utiliser les mêmes outils, ou des outils très proches, dans ces situations nouvelles... et de ne pas tenter de faire la contraction d'un texte narratif comme celle d'un texte argumentatif.

Dans cette perspective, on le voit, un élément essentiel du discours pédagogique contemporain peut trouver une nouvelle définition : il s'agit de la notion d'« objectif opérationnel ». L'opérationnalité d'un objectif ne peut plus être garantie, en effet, par la seule qualité formelle de son intitulé. Certes, il ne s'agit pas de renoncer à cette qualité et on ne saurait trop, à cet égard, souligner toute l'importance de la clarification de nos intentions quand on leur fait subir l'épreuve des quatre conditions de TYLER[3] ; mais ce qui, au-delà de la formule,

3. Les « conditions de TYLER » sont reprises systématiquement et longuement explorées par D. HAMELINE dans *Les objectifs pédagogiques* (cité plus haut). Ce dernier en distingue quatre : l'absence d'équivocité, la formulation en termes de comportement observable, la spécification des conditions de la performance et la précision des critères d'évaluation. En réalité, dans la vulgate de la « pédagogie par objectifs » (même rebaptisée d'un autre nom, plus modeste), la véritable et seule condition demeure la définition de l'intention en termes de comportement observable... cela est d'ailleurs, à bien des égards, légitime puisque nous savons aujourd'hui que, faute de savoir ce que l'on cherche à obtenir comme comportement, on se résigne à n'obtenir, dans l'immense majorité des cas, que ce qui a déjà été acquis ailleurs et autrement. Tout le problème réside dans le fait que le comportementalisme latent de la pédagogie par objectif peut engendrer, s'il se fait théorie éducative, les formes les plus dangereuses de dressage. C'est pourquoi j'ai montré ailleurs pourquoi et comment il convenait d'assumer le projet de rationalisation comportementaliste tout en organisant sa mise en échec (*Itinéraire des*

garantit qu'il s'agit bien d'un objectif pédagogique — c'est-à-dire que son appropriation contribue à l'émancipation d'un sujet — c'est le fait qu'il se présente comme l'apprentissage du pouvoir d'associer une classe de problèmes, identifiable à des caractéristiques repérables, avec un outil mental ou un ensemble d'outils mentaux — impliquant les dimensions cognitives, psychosociales et motrices — qui peuvent être utilisées pour leur faire face. Un objectif opérationnel, dans ce sens, a donc toujours vocation à permettre un transfert de connaissances dans la mesure où il rend possibles simultanément le repérage d'une famille de problèmes et la maîtrise d'un ou de plusieurs outils qui lui sont associés[4].

Bien sûr, je comprends que l'usage du terme de « transfert », pour désigner l'opération que je viens de décrire, soit contesté. Il évoque plutôt, en effet, l'idée d'une acquisition quelque peu désincarnée qui serait l'objet d'habillages successifs différents au gré des circonstances et des disciplines. Or ce n'est évidemment pas dans ce sens que je l'entends, même si je comprends que cet usage puisse être légitime dans des entreprises de formation où il convient d'organiser une cohérence minimale des enseignements et où l'urgence impose de postuler *a priori* l'existence de cette cohérence. Certes, en toute rigueur didactique on ne peut pas justifier une telle démarche et l'on doit, au contraire, s'en tenir, pour éviter des confusions qui peuvent nuire à l'apprenant, à la recherche *a posteriori* des problèmes communs que l'on peut trouver dans les différentes disciplines... car rien ne dit d'avance, par exemple, qu'« apprendre à démontrer » en géométrie et en philosophie, en biologie et en histoire pose exactement les mêmes problèmes et requiert la maîtrise des mêmes outils[5] ! Mais il reste que

---

pédagogies de groupe — Apprendre en groupe ? 2, Chronique sociale, Lyon, 3e édition, 1989, pages 172 à 187). D'une certaine manière tout le présent ouvrage se situe dans le prolongement de cette recherche.

4. J'ai tenté de montrer qu'il n'y avait antériorité ni logique ni chronologique de l'identification de la famille de problèmes par rapport à la construction de la « solution ». Et vice versa. En réalité un sujet constitue simultanément l'une et l'autre parce qu'elles n'ont de sens que l'une par rapport à l'autre. Et une fois cette constitution effectuée, il procède à des ajustements successifs par extension/réduction (voir *Enseigner, scénario pour un métier nouveau*, ESF éditeur, Paris, 2e édition, 1990, pages 150 à 155).

5. Chez KANT, les « principes régulateurs » n'ont pas de valeur « objective » dans la mesure où ils ne servent pas à construire les « objets » de notre expérience (ce que font les principes constitutifs de l'entendement). En revanche, ils servent de guide à la raison et dirigent son effort tout en l'empêchant d'être jamais satisfaite (*Critique de la Raison pure*, PUF, Paris, 1950, pages 387, 438 à 440, 465 et suivantes).

l'atomisation menace effectivement bien des cursus de formation, que c'est bien, quoi qu'il en soit, le même sujet qui est appelé à s'approprier des problèmes différents et des disciplines différentes et que, donc, il existe au moins une réalité interdisciplinaire incontestable qui est précisément l'intelligence de l'apprenant. Par ailleurs, en dépit de nos meilleures intentions et de l'effort pour définir les disciplines scolaires à partir des problèmes que l'on veut apprendre à résoudre au citoyen — et non l'inverse —, la prégnance des secteurs disciplinaires organisés dans le domaine universitaire est telle que l'on peut toujours craindre un alignement sur le « savoir savant appauvri »... ce qui signifie à coup sûr, pour l'élève qui est incapable d'en percevoir les enjeux, la fossilisation d'exercices sans intérêt ni signification.

Aussi faut-il peut-être accepter que la démarche pédagogique s'appuie sur des « capacités » assez générales que l'on se donne pour fin de faire acquérir aux élèves, mais à condition que ces capacités soient en permanence mises à l'épreuve des tâches spécifiques et des problèmes particuliers. En d'autres termes, la notion de « capacité générale » — savoir démontrer, faire une synthèse, être attentif, chercher une information, construire un plan de travail, etc. — doit fonctionner comme un « principe régulateur » de la raison pédagogique[6] : on doit viser ces capacités tout en sachant que, sous cette forme très évasive, elles n'existent pas mais que l'on peut les voir à l'œuvre à travers des situations très concrètes, dans la manière dont un sujet affronte un problème déterminé, dont il dégage la structure spécifique et pour lequel il utilise un « programme de traitement » adéquat[7]. Quoi qu'il en soit, au demeurant, et malgré tous les efforts possibles, les capacités n'existent que par hypothèse, puisque leur présence n'est observable qu'à travers leur mise en œuvre dans des situations concrètes et sur des matériaux spécifiques dont on ne peut jamais savoir avec certitude si

---

6. Une telle conception se heurterait d'ailleurs aux objections particulièrement fortes d'une grande partie des chercheurs qui travaillent sur le fonctionnement cérébral et qui, comme M. GAZZANIGA, soulignent que « plus un cerveau humain a de connaissances, plus son fonctionnement général est rapide » (*Le cerveau social*, Laffont, Paris, 1987, page 140).

7. Ce que je nomme un « programme de traitement » peut être compris comme un ensemble d'opérations cognitives, psycho-affectives et motrices lié à un type de problème déterminé. Un programme peut être appréhendé globalement ou comme la somme de ces opérations (chacune d'elles pouvant alors être impliquée dans un autre programme comportant un micro-problème identique à celui qu'elle permet de résoudre).

elles leur sont tributaires ou non. Même en multipliant les contextes et en croisant les conditions de leur mise en œuvre, on n'obtiendra jamais la garantie qu'une capacité est maîtrisée, puisqu'en elle-même, c'est-à-dire désincarnée et sans objet, elle n'existe pas.

C'est pourquoi l'usage de la notion de capacité et de celle d'objectif, comme le projet de rendre un apprenant capable de spécifier progressivement des « programmes de traitement » par rapport à des « familles de problèmes » imposent des précautions infinies. Mais plutôt que de multiplier les interrogations suspicieuses ou les dispositifs techniques de contrôle — toutes choses qui restent dans les mains du maître et sont susceptibles de renforcer son emprise — je propose que la formation intègre pleinement — et pas seulement aux marges, dans des structures complémentaires d'« aide au travail personnel » — la réflexion méthodologique de l'apprenant sur son propre travail. Et sans doute vaudrait-il mieux même écarter, ici, le terme de « méthode » tant celui-ci est porteur d'ambiguïtés et peut laisser supposer qu'il existe des méthodes indépendantes des contenus. Il vaudrait mieux dire que le travail pédagogique, en ce qu'il vise l'émancipation d'un sujet à travers l'appropriation d'objets culturels, est constitutivement un travail d'élucidation des problèmes que l'on rencontre, de ce qui les spécifie, de ce qui permet de les retrouver dans des situations différentes, de ce qui aide à les résoudre ailleurs et sans aide. Le travail pédagogique est ainsi, indissolublement, apprentissage et « métacognition ». Et ce que je nomme ici « métacognition » n'est nullement en extériorité par rapport aux savoirs eux-mêmes ; c'est exactement ce par quoi les connaissances transmises deviennent outils d'émancipation. La métacognition fait corps avec elles tout en leur donnant corps. Dans un même temps, elle constitue l'objet et libère le sujet.

24

De la métacognition

Un ensemble d'objets culturels ne fait donc pas une culture et encore moins ne garantit en lui-même l'émancipation des sujets auxquels il est proposé. Une véritable culture est, en réalité, un ensemble d'objets possédant deux caractéristiques apparemment contradictoires et pourtant nécessairement associées : ces objets doivent en effet, et à la fois, se profiler sur un horizon d'universalité — c'est ce qui leur donne, ai-je dit, toute leur valeur — en même temps qu'ils doivent pouvoir être appropriés par un sujet, irréductiblement unique, et lui permettre, à lui tout particulièrement, de comprendre et de maîtriser les situations individuelles et imprévisibles auxquelles il sera affronté. En d'autres termes, l'universalité de visée de la culture n'acquiert d'existence qu'à l'épreuve des individualités... de même que, réciproquement, les acquisitions individuelles n'ont de portée culturelle émancipatrice qu'en référence à l'universalité de leur visée. C'est ainsi que la culture homogénéise et spécifie, réunit et différencie tout à la fois.

Projet impossible et néanmoins nécessaire, constitutif de l'entreprise éducative elle-même. Mais projet sans doute plus accessible dès lors que l'on perçoit que l'individualisation n'est pas un résultat instantané et miraculeux, mais plutôt un processus de longue haleine coextensif de l'appropriation individuelle des contenus culturels. Car c'est bien en étant confronté à des « objets de savoir » à s'approprier qu'un sujet peut faire l'expérience de sa propre individualité, découvrir à la fois les spécificités de cet objet et celles de sa démarche cognitive. C'est pourquoi la construction d'une personne libre ne requiert pas seulement le partage des savoirs mais aussi l'élaboration progressive de « méta-connaissances », c'est-à-dire de connaissances sur la manière dont elle a acquis, peut utiliser et étendre ses savoirs. Ces méta-connaissances, qui sont propres à chacun d'entre nous, concernent essentiellement ce que je nomme nos « stratégies d'apprentissage ». Et si j'utilise cette expression en dépit de ses connotations guerrières, c'est parce qu'elle récuse, en même temps, la thèse selon laquelle les méta-connaissances seraient du domaine exclusif de la « personnalité psychologique » des individus et détermineraient les comportements d'apprentissage indépendamment des contenus, aussi bien que la thèse selon laquelle il n'existerait que des habiletés très strictement spécifiées à des contextes et à des objets particuliers. La notion de stratégie suppose, elle, que le sujet prend en compte de manière dynamique l'interaction des données de sa personnalité avec les contraintes des contenus et des situations ; elle suppose aussi que le sujet s'interroge de manière réflexive sur les conditions de validité de cette interaction en référant systématiquement la démarche qu'il a utilisée aux résultats qu'il a obtenus... La réflexion stratégique engage alors celui qui s'y livre dans un travail constant d'inventivité métacognitive pour combler l'espace sans cesse réinstauré entre lui-même et le monde. Ainsi la démarche de l'intelligence peut-elle échapper au double déterminisme dans lequel on veut parfois l'enfermer : celui qui consiste à n'en chercher la nature que dans les caractéristiques du sujet et celui qui tend à la déduire des caractéristiques de l'objet[1].

---

1. Nous rencontrons ici, évidemment, un problème philosophique majeur que je ne peux, dans les limites de cet ouvrage, discuter en détail. Je me contenterai donc d'abord de rappeler, pour mémoire, l'effort de J. PIAGET pour dépasser l'opposition entre l'idéalisme et l'empirisme en articulant les processus d'assimilation et d'accommodation (on peut consulter, à ce sujet, un petit ouvrage dense et passionnant de J. PIAGET, *Le structuralisme*, PUF, collection Que sais-je ?, Paris 1970). Je m'en tiendrai ensuite aux développements les plus récents de l'épistémologie et de la recherche en matière de sciences cognitives...
Ainsi I. STENGERS rappelle-t-elle, dans un texte récent, que la réflexion épistémologique a toujours été déchirée entre deux grands courants : l'un pour lequel l'idéal de la connaissance est de se débarrasser de la présence de l'observateur pour recueillir des « faits purs », l'autre pour lequel la présence de l'homme est irréductible et la connaissance toujours « subjective » (« Une science au féminin », dans I. STENGERS et J. SCHLANGER, *Les concepts scientifiques*, La Découverte, Paris, 1989, pages 152 à 164). Face à cette alternative, I. STENGERS, en s'appuyant sur l'œuvre scientifique de B. MAC CLINTOCK, montre que l'intelligence procède par une sorte de « dialogue » avec l'objet qui « pose problème » et dont il doit apprendre, selon son expression, à « déchiffrer l'histoire » : il s'agit, dit-elle, de la « genèse d'un moi de conscience qui implique de manière indissociable l'esprit humain et l'objet » (page 159).
Dans le même esprit, F. VARELA montre, dans son ouvrage *Connaître* (Le Seuil, Paris, 1989) où il fait la synthèse des orientations récentes des « sciences et techniques de la cognition », que la connaissance est aujourd'hui conçue comme l'« énaction » : « Les connaissances ne sont pas prédéfinies, mais énactées ; on les fait émerger. (...) L'idée fondamentale est que les facultés cognitives sont inextricablement liées à l'historique de ce qui est vécu, de la même manière qu'un sentier au préalable inexistant apparaît en marchant » (page 111). Connaître peut ainsi être décrit comme un acte par lequel un sujet fait émerger un objet en même temps qu'il structure sa propre intelligence.

Pour faire une dissertation, apprendre une leçon d'anglais ou rédiger un mémoire universitaire, comme pour tapisser une pièce, réaliser un potager ou préparer un voyage, il n'y a pas plus de méthodes toutes faites susceptibles d'être enseignées, pour chaque spécialité, par des méthodologues didacticiens spécialisés qu'il n'y a de méthode personnelle qui pourrait être découverte individuellement avec l'aide d'un méthodologue-psychologue généraliste et utilisée ensuite toujours et partout. En réalité, il n'est pas d'autre méthodologue possible que le sujet lui-même, analysant les conditions dans lesquelles il se trouve, s'interrogeant sur la pertinence des procédures qu'il utilise, mettant en regard leur efficacité avec leur coût cognitif et affectif, avec l'investissement qu'elles requièrent, en termes de temps, de complexité mais aussi — et on ne le dit pas assez à mon goût — en termes de plaisir et de souffrance.

Autrement dit, c'est entre le donné psychologique de l'individu, hérité de toute son histoire personnelle, et le donné épistémologique imposé par la structure des objets de savoir, que s'immisce un sujet qui échappe, à la fois, à la reproduction de lui-même et à la duplication de l'objet, un sujet qui, dans le geste d'apprendre, ébauche une différence constitutive de son individualité même. C'est donc bien par la pratique systématique de la métacognition — entendue comme la réflexion sur l'interaction entre les connaissances et le sujet — qu'un projet culturel à visée homogénéisatrice permet la constitution des sujets apprenants dans leur hétérogénéité et esquisse un projet social où le partage de l'identique n'exclut pas mais requiert la promotion des différences.

Exigée par l'évolution sociologique des publics scolaires et par l'arrivée dans le système éducatif de toute une population qui n'a pas la chance d'avoir bénéficié, grâce aux stimulations de son environnement, d'une invitation quotidienne à s'interroger sur la pertinence des stratégies d'apprentissage que l'on met en œuvre, la pratique de la métacognition est donc bien autre chose qu'un simple gadget pédagogique nouveau. Elle est partie intégrante d'un projet de formation et le « conseil méthodologique », qui en est aujourd'hui son incarnation la plus reconnue dans le registre des pratiques didactiques, est une dimension constitutive du métier d'enseignant. Intégrée dans la vie quotidienne des classes, en interpénétration constante avec l'ensemble des autres activités, elle représente cette interrogation par laquelle l'apprenant devient sujet de ses apprentissages, capable progressivement de les contrôler, de les utiliser, de les développer quand cela devient nécessaire.

Certes, je vois bien poindre l'inquiétude de ceux qui craignent que le développement de telles pratiques ne génère des attitudes excessivement maternantes et n'aboutisse à une atomisation de la relation pédagogique en une multitude de petits conseils insignifiants. J'entends aussi ceux qui se méfient d'un retour par la bande de la non-directivité ou s'inquiètent d'une dérive psychothérapeutique. Mais c'est qu'ils ne voient pas à quel point le travail métacognitif peut être d'une extraordinaire exigence intellectuelle. Tout le contraire d'une « pédagogie molle » où un bavardage psychologisant tiendrait lieu d'enseignement. Car il s'agit bien de s'affronter aux réalités intellectuelles et d'assumer tout ce que cet affrontement peut avoir de difficile et parfois d'ingrat. Mais il s'agit aussi de ne pas laisser l'apprenant seul et désarmé dans cette histoire, sous prétexte que, au bout du compte, il ne devrait plus avoir besoin de nous. Il n'est pas question ici d'escamoter l'objet, ni même d'en dissimuler les arêtes vives et les points délicats ; bien au contraire, c'est cela qu'il faut faire apparaître avec force parce que c'est à cela que l'on doit s'attacher pour s'en saisir efficacement. C'est à cela et aussi à la manière dont on s'y prend, à la démarche et aux supports que l'on mobilise, à la manière dont on gère l'espace et utilise les systèmes d'aide mis à disposition, à la façon dont on se situe envers ses pairs et aussi envers soi-même, dont on tolère sa propre inquiétude et dont on s'appuie sur ses acquis antérieurs.

Et l'on comprend d'autant mieux le caractère indissociable de l'interrogation sur la structure intrinsèque de l'objet et sur la manière individuelle de l'aborder, comme on perçoit bien l'importance décisive du « conseil méthodologique » dans toute formation, quand on parle des apprentissages en termes de « problèmes à résoudre ». Car un problème est toujours, constitutivement, le problème de quelqu'un ; il n'existe pas en dehors de l'intentionnalité qui l'isole et s'en saisit, de la volonté qui s'arrête sur des éléments du « réel », de la décision de ne pas se satisfaire de leur arrangement du moment ou de leur apparence d'intelligibilité. Un problème comporte toujours un sujet pour qui « ça fait problème » et un objet « qui fait problème » pour un sujet... même si la décision du sujet est sollicitée par un tiers ou par un groupe, même si l'objet est constitué par le sujet lui-même. C'est pourquoi parler d'une « pédagogie de la résolution de problème » c'est bien affirmer *de facto* le caractère essentiel de l'approche de l'objet culturel en termes épistémologiques et de l'approche du sujet apprenant en termes de stratégie d'apprentissage ; c'est surtout affirmer leur inséparabilité.

Concrètement, cela veut dire que l'on met en œuvre, en classe, tout le jeu des interactions possibles avec le maître et avec les pairs afin de faire émerger, à la fois, ce qui, dans un problème rencontré, est de l'ordre des invariants structurels et ce qui est de l'ordre des spécificités individuelles. Cela implique que l'on y travaille sans cesse, sans nourrir l'illusion de la possibilité d'isoler chacune de ces deux dimensions mais afin que leur mise en tension permanente permette à chacun de se construire une modalité particulière d'appropriation dans laquelle elles se combineront de manière originale : « Quelle est la difficulté ? L'ai-je déjà rencontrée ? Comment m'y étais-je pris ? Comment tu la vois, toi ? Et comment tu t'y prends ? Tu crois que je peux essayer comme cela ? Non, comme ça je n'y arrive pas. C'est parce que je n'ai pas compris ou que je m'y prends mal ? Je vais essayer d'y arriver autrement. Mais là le problème m'échappe. Non, décidément, je n'y arrive pas. Je vois ce qu'il faut faire mais je ne sais pas comment m'y prendre. Dis-moi, toi, comment tu t'y prends ?... » Qui niera le caractère formateur de ce questionnement et contestera que le maître ait intérêt à y participer, à l'organiser systématiquement, parce que c'est là, précisément, qu'il transmet et émancipe à la fois[2] ?

Ainsi, dire que l'on va apprendre en classe à résoudre des problèmes — et pas exclusivement, bien évidemment, des problèmes techniques —, affirmer que chacun, grâce à l'aide de tous va apprendre à résoudre des problèmes à l'Ecole pour pouvoir les résoudre ensuite à l'extérieur de l'Ecole, c'est basculer radicalement d'une pédagogie de la transmission mimétique à une pédagogie de l'appropriation différenciée. Ce n'est pas substituer au savoir scientifique une confiture relationnelle, c'est considérer les savoirs pour ce qu'ils sont vraiment, c'est-à-dire une construction des hommes pour affronter des situations qu'ils décident de ne pas totalement subir mais de tenter de comprendre pour les apprivoiser[3].

---

2. C'est dans cette perspective que J. Berbaum, fort de la conviction « qu'apprendre c'est d'abord faire mais que c'est surtout, en faisant, améliorer sa manière de faire » développe un « plan d'aide à la capacité d'apprentissage » qu'il préconise d'associer à une formation pour en améliorer l'efficacité (*Développer la capacité d'apprendre*, ESF éditeur, Paris, 1991.)

3. Dans un ouvrage collectif où ils examinent les fondements et les limites d'une pédagogie de l'oral (*Parole étouffée, parole libérée*, sous la direction de M. Wirthner, D. Martin et Ph. Perrenoud, Delachaux et Niestlé, Neuchâtel et Paris, 1991), plusieurs spécialistes et psychologie et de sociologie scolaires montrent bien les pièges que côtoie en permanence le pédagogue qui se donne pour objet d'apprendre à ses élèves à parler... c'est que la parole se prend tout autant qu'elle ne s'apprend et il y a bien une manière de l'« apprendre » qui lui ôte toute authenticité. Nous nous trouvons bien ici, une fois de plus, au cœur du paradoxe de l'éducation : instrumentaliser pour libérer... mais à condition que l'instrumentalisation ne soit pas un asservissement à des formes académiques du savoir telles que plus aucune personne ne puisse s'en emparer pour elle-même ou même, seulement, s'y reconnaître.

Dans cette perspective, il ressort, bien sûr, de la responsabilité de l'enseignant de faire émerger les problèmes là où, pour les élèves, tout semble aller de soi. Et il ne peut guère y parvenir que par la médiation de tâches qui fassent l'objet de représentations assez claires pour permettre d'engager l'action et dont la réalisation pose précisément ces problèmes. C'est à l'enseignant aussi d'aider à la formalisation des problèmes quand ils apparaissent et à l'identification de leur structure ; c'est à lui également de donner les moyens de la construction des solutions et c'est à lui, enfin, dans le même temps, de favoriser la découverte par chacun des modalités de travail les plus efficaces.

Dans le domaine de la programmation didactique, quand il se situe sur le versant curriculaire [4] qui représente ce que l'on peut appeler

---

Mais, précisément, une étude (pages 205 à 219) montre bien que, pour éviter une telle dérive, il convient que de la parole se prenne dans la classe, à l'occasion des activités d'apprentissage elles-mêmes et quand le maître accepte de suspendre un moment la pression programmatique : il peut alors poser des questions simples aux élèves, réunis en petits groupes, sur ce qu'ils font, les raisons de leurs actes et les résultats qu'ils obtiennent. J'ai moi-même formalisé ces questions dans un « guide pour la pratique du conseil méthodologique » (*Enseigner, scénario pour un métier nouveau*, ESF Editeur, Paris, 3e édition, 1990, pages 147 à 158) autour de trois axes principaux : Quelle est la tâche ? (recherche des critères de réussite)... Quel est le problème ? (recherche des indicateurs de structure du problème qui permettent de choisir l'outil cognitif adapté)... Quelle est la situation ? (recherche des éléments permettant de décider de la bonne stratégie personnelle). Mais, au-delà des questions d'ordre technique, l'essentiel reste, me semble-t-il, de ménager ces temps où l'on permet à l'élève de réfléchir à ce qu'il fait, de donner l'occasion régulièrement à une classe d'échanger sur les méthodologies que l'on utilise avec elle... Paradoxalement même, je suis convaincu que c'est dans l'imperfection des situations didactiques — pourvu qu'elle soit repérée et exploitée — que peut naître l'intelligence. On donne prise à l'élève sur ses apprentissages en lui permettant d'« exploiter » toutes les failles de notre enseignement.

4. Rappelons que le curriculum est un « plan de formation » qui s'efforce d'articuler dans un ensemble cohérent les finalités, les buts, les objectifs et les modalités d'évaluation d'une démarche formative. Si l'on veut qu'un tel plan ne soit pas purement formel, il doit évidemment intégrer également les contraintes institutionnelles et disciplinaires ; il doit, enfin, procéder à une analyse assez fine des objectifs poursuivis de telle manière qu'ils soient saisissables par le formateur.
L'approche curriculaire a été particulièrement développée par le CEPEC de Lyon (*Construire la formation*, ESF éditeur, Paris, 1991). Ainsi présentée par des chercheurs qui allient la solidité de l'information théorique et une grande expérience du terrain, elle a, pour moi, un intérêt considérable : elle permet de mettre en cohérence dans une perspective systémique l'ensemble des paramètres d'un projet de formation ; elle représente, pour ceux qui s'y adonnent, un excellent outil de formation, elle fournit, enfin, de précieux « tableaux de bord » pour la conduite de l'action. Mais elle me paraît devoir être complétée par une approche plus centrée sur l'organisation des situations d'apprentissage et intégrant le problème du sens de ceux-ci pour l'élève.

« la logique de l'enseignement », l'enseignant ira donc de l'identification de ses objectifs, en termes de corrélation entre une famille de problèmes et un programme de traitement, vers la définition des tâches capables de les faire émerger. En revanche, dans la démarche de réalisation didactique, quand il se situe sur le versant des situations d'apprentissage qui tentent, elles, de prendre en compte « la logique de l'apprenant », il ira de la proposition des tâches à l'identification des problèmes rencontrés et à l'élaboration des solutions. Et si, dans la première démarche, on comprend que l'analyse s'effectue en quelque sorte *a priori*, dans la seconde on ne peut prétendre à la moindre efficacité que si l'on intègre pleinement une réflexion avec les apprenants en situation sur la manière dont ils abordent les problèmes qui émergent.

Ainsi défini, le travail du maître paraît — j'en suis bien conscient — considérable, voire impossible ; et pourtant, à tout prendre, il est peut-être moins difficile que l'effort démesuré et dérisoire à la fois pour imposer des réponses à des élèves qui ne se posent aucune question et n'ont jamais réfléchi à la manière de les résoudre. Moins difficile mais plus exaltant, parce que capable de mobiliser ensemble un formateur et des formés, un enseignant et des élèves, autour de quelque chose qui ait assez de fermeté pour que les uns et les autres puissent se situer par rapport à elle et entre eux. Plus exaltant aussi parce que, à cette occasion, on peut peut-être espérer faire l'expérience essentielle de quelques valeurs.

25

Des valeurs

Bien présomptueux serait l'éducateur qui croirait pouvoir renoncer à l'exhortation. Certes, la leçon de morale, version laïcisée du prêche d'antan, n'a plus très bonne presse. On lui préfère aujourd'hui l'entretien psychothérapeutique, version laïcisée de la direction de conscience. Mais, quoi qu'il en soit du scepticisme à usage social que l'on affiche par ailleurs, quoi qu'il en soit de la conviction que l'on a de l'inefficacité de telles pratiques, on épuise bien souvent son énergie à exalter des valeurs et à en condamner d'autres, à vanter l'effort, la loyauté, la probité ou la solidarité pour critiquer la paresse, l'égoïsme ou la tricherie. Bizarrement, on peut perdre ici toutes ses illusions, renoncer pour soi-même à la moindre exigence de ce type, sans, pour autant, abandonner les incantations rituelles et presque quotidiennes à la moralité. Encore plus bizarrement, ceux-là mêmes qui souriaient ou haussaient les épaules devant elles s'empressent de les reprendre à leur compte dès lors qu'on leur confie, même brièvement, le soin de s'occuper d'un enfant plus jeune ou d'un élève d'une autre classe. Tout se passe donc comme si ce discours moral avait plutôt pour fonction de rassurer l'éducateur ou, peut-être, plus exactement, jouait un rôle tout à fait particulier dans une mystérieuse transaction : « Je dois dire ce qu'il convient de faire, même si moi je ne le fais pas, même si cela n'a aucune espèce d'influence sur ceux à qui je le dis... Je dois le dire parce que cela fait partie du jeu et marque la nature résolument sociale de la situation que nous vivons. Je dois le dire parce que tout le monde attend que je le dise et que, à bien des égards, ma crédibilité d'éducateur se joue sur ce discours. Dans l'appareillage social où les places sont affectées et les rôles définis en fonction du principe de stabilité maximale, c'est parce que je dis cela que l'on me reconnaît le droit d'éduquer mes semblables. Que je suspende ici ma parole et c'est ma légitimité sociale elle-même qui est menacée... » Ainsi donc « faire de la morale », pour le pédagogue, n'est pas une exigence vis-à-vis d'autrui mais plutôt une question de survie personnelle ; cela ressort, en quelque sorte, du cerveau reptilien pédagogique dont on aurait bien tort de dire que l'on peut s'en passer ou même le contrôler facilement.

Que l'on s'entende bien. Je n'ai pas dit que les valeurs auxquelles on exhortait les enfants ne méritaient pas d'être défendues, ni que cette exhortation était inutile; je crois simplement qu'elle n'est d'aucune efficacité en ce qui concerne leur « transmission ». Ce qui n'est pas du tout la même chose[1]. Sans doute même faut-il s'assurer précisément par cette exhortation pour pouvoir risquer une véritable éducation aux valeurs. Et le discours moral pourrait jouer ici, en quelque sorte, le rôle de la corde de l'alpiniste: pas plus qu'elle n'indique le chemin, il ne donne la direction; pas plus qu'elle ne se substitue à son effort, il ne dispense de la véritable exigence formative; mais, comme elle, il rassure, accompagne, articule la progression à des points d'appui et surtout rend possible le risque majeur que constitue l'étonnante volonté d'inscrire des valeurs dans la quotidienneté d'une aventure collective.

Car c'est bien au cœur de chaque activité éducative que peuvent s'éprouver et — peut-être — se transmettre les valeurs. A condition,

1. L'œuvre de ROUSSEAU témoigne bien, d'une certaine manière, de cette difficulté fondamentale à « enseigner des valeurs ». Certes, pour lui, l'éducateur doit être vertueux, mais si l'éducation enseignait, au sens propre du terme, les vertus, ce ne pourrait être que par imitation ou par contrainte... les vertus ne seraient alors que des « vertus de singe » (*L'Emile*, Garnier-Flammarion, Paris, 1966, page 128). Et c'est bien avec cette impossibilité de « transmettre » ce qui est de l'ordre de l'adhésion d'une conscience que s'articule, dans le système rousseauiste, la « bonté naturelle » de l'homme.
La pensée de ROUSSEAU est, en effet, centrée sur l'existence d'une conscience morale qui bénéficie d'une antériorité de droit et de fait sur toute éducation morale. On connaît la « profession de foi du vicaire savoyard » et l'affirmation de l'existence d'une inclination naturelle du cœur vers le bien... C'est sans doute là ce qui permet à l'éducation rousseauiste d'être essentiellement négative et d'avoir pour fonction d'écarter les influences néfastes afin que le sujet se développe selon les inclinaisons naturelles de sa conscience, « immortelle et céleste voix ».
C'est pourquoi, à mon sens, l'œuvre de ROUSSEAU marque un décrochement décisif par rapport aux dogmatismes moraux inspirés d'un platonisme sommaire selon lequel il faudrait contraindre l'individu à sortir de la caverne et lui tourner violemment le visage vers le bien. Mais elle témoigne aussi de l'extrême difficulté à penser l'émergence de la liberté d'un sujet et la « contagion » de la valeur. Peut-être est-ce la raison pour laquelle toute expérience sociale est suspectée et Emile condamné à une relative solitude ?... Mais est-ce parce que le sujet porte en lui la conscience morale que l'expérience sociale est écartée ou bien est-ce parce que toute expérience sociale est écartée qu'il ne peut trouver qu'en lui la conscience morale ? Sans doute faut-il renoncer à répondre à cette question et se contenter de noter la cohérence de la pensée. On peut toutefois se demander s'il n'y a pas là un « effet de clôture » qui compromet précisément la possibilité d'un travail pédagogique sur l'« expérience éthique » ?

sans doute que l'on ne conçoive pas la transmission de façon mécanique mais bien plutôt comme une contagion, un peu à la manière du virus, cristallisé et inefficace quand il ne trouve pas d'organisme sur lequel se fixer, vivace et se multipliant quand il se greffe sur des cellules auxquelles il confère progressivement sa propre structure. Ce sera donc l'organisation même de la situation d'apprentissage qui sera porteuse de valeurs et si elle ne peut jamais prétendre — c'est bien là la limite de ma métaphore médicale — à imposer ses valeurs, elle peut, au moins, témoigner de leur capacité à permettre d'accéder à cette harmonie avec soi-même et avec les autres que l'on peut, peut-être, avec d'infinies précautions, nommer le bonheur... Que peut-on espérer de plus, en effet, en éducation, que cette découverte par l'individu de cette plénitude éprouvée quand on s'habite enfin soi-même, quand la volonté coïncide avec l'acte et que le sujet peut devenir véritablement auteur de lui-même et dire « je »[2] ? Que peut-on espérer de plus, si ce n'est, peut-être, l'expérience d'un « je » qui entre en interaction, en contact, voire en conflit, avec un autre « je » et esquisse alors une socialité où l'expression de l'un ne cherche pas à abolir celle de l'autre ?

Car les valeurs ne s'apprennent jamais dans des « cours » spécifiques qui peuvent tout au plus, dans ce domaine, prétendre à une information des élèves. Elles se construisent dans l'ensemble des situations éducatives et des séquences d'enseignement si celles-ci sont capables de montrer que l'on apprend mieux dans la coopération que dans la rivalité, que l'effort de compréhension de l'autre — à plus forte raison s'il se présente comme mon adversaire — est une condition de la maîtrise de mon propre point de vue, que l'expression des différences — dans la mesure où elle peut s'exprimer sur un fond d'unité — est au service de la structuration de l'intelligence, que le fait d'examiner avant de juger confère le seul crédit auquel peut prétendre la parole, que la curiosité intellectuelle, enfin, est source inépuisable de découvertes et de joies, même si tout cela se paye parfois de quelques moments d'inquiétude... Si quelqu'un a vécu tout cela en formation il ne sera certes pas contraint d'y adhérer, mais au moins le pourra-t-il. Parce qu'il aura éprouvé la contagieuse et sereine exigence qui fait de l'interaction avec autrui — quand je le reconnais comme un véritable sujet — la condition de ma propre liberté, il sera en mesure d'engager sa vie dans cette

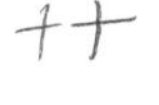

2. C'est BERGSON, dans l'*Essai sur les données immédiates de la conscience* (PUF-collection « Quadrige », Paris, 1986), qui montre bien que l'acte libre est celui dans lequel l'homme se met tout entier et coïncide en quelque sorte avec lui-même.

direction ou, au moins, de l'examiner quelquefois avec un regard forgé dans ces moments privilégiés.

Ainsi la morale en éducation — si l'on désigne par ce terme un système de règles susceptible de régir les comportements individuels — doit être pensée en tant qu'elle permet et suscite — sans chercher pour autant à les contraindre — les choix éthiques individuels. Les institutions éducatives, celles, minuscules, que l'on met en place dans une classe quand on organise un travail de groupe ou un échange sur les stratégies d'apprentissage utilisées ou celles, plus importantes, qui régissent la participation au système de décision dans un établissement donné, ou encore celles, établies sur un plan national, qui concernent les procédures d'orientation, doivent donc être interrogées sous cet angle. Il faut leur demander si elles permettent ou non à des individus d'exister ensemble comme sujets éthiques, c'est-à-dire reconnaissant dans chaque « autre » un sujet possible et ne les engageant pas à se considérer réciproquement comme des objets.

Et l'examen de cette exigence nous permettrait peut-être d'éviter certaines confusions fâcheuses, comme celle que l'on entretient assez systématiquement entre l'autonomie et la débrouillardise. En effet, alors que les projets éducatifs prétendent former à la première, les pratiques éducatives encouragent de fait à la seconde. A l'Ecole, en dépit de ce que l'on affirme partout, ce n'est pas l'élève autonome qui réussit mais l'élève débrouillard, c'est-à-dire celui qui sait concevoir et mettre à exécution des scénarios d'action comportant, selon le vieux principe « économique » — dans les deux sens du mot —, le plus d'effets possibles pour le moins d'efforts inutiles. Il s'agit, pour lui, de décoder les attentes du maître et de l'institution, voire de les anticiper, puis d'y répondre avec ce qu'il faut de servilité et de distance à la fois pour être considéré comme « bien adapté ». Il s'agit d'utiliser les ressources offertes par toutes les arcanes de l'appareil pour obtenir les résultats les plus valorisants et se démarquer de l'« épaisse moyenne ». Il s'agit de faire sentir avec suffisamment de subtilité que l'on sait bien à quoi s'en tenir sur les autres, les non-débrouillards, et que l'on partage avec l'éducateur une condescendance tacite envers eux, pour apparaître comme « sortant du lot ». En bref, il suffit d'utiliser habilement les travers de l'institution et les faiblesses des autres pour donner l'image de la réussite et l'illusion de l'autonomie...

Mais, précisément, l'autonomie, c'est bien autre chose : ce n'est pas seulement la capacité d'ajuster des moyens à des fins, c'est aussi la volonté d'interroger la légitimité de ces moyens et, en particulier, de se demander si les autres y sont « utilisés », « manipulés », voire

« piégés », ou s'ils sont considérés, reconnus, promus comme de véritables sujets. Car « prendre son autonomie » c'est, sans doute, se détacher des autres — au sens où c'est échapper à leur pouvoir —, mais c'est aussi donner aux autres la possibilité d'échapper à mon propre pouvoir, leur donner la possibilité de comprendre, de s'opposer, de résister ou d'adhérer à mon propos et à mon projet... La capacité de se diriger par soi-même serait une absurdité si elle engendrait ou simplement utilisait l'aveuglement des autres, leur abêtissement, leur hétéronomie. Etre autonome c'est vouloir que les autres le soient ou c'est seulement chercher son propre intérêt. En ce sens l'autonomie est une conquête collective qui peut passer, parmi beaucoup d'autres choses, par la mise en place de dispositifs de métacognition dans lesquels émergent et se reconnaissent des sujets différents. L'autonomie est une finalité pédagogique ou, mieux encore, une manière de dire la finalité de la pédagogie en tant qu'elle est promotion collective et interactive de sujets libres qui se donnent réciproquement le pouvoir de dire « je ».

C'est pourquoi toutes les pratiques didactiques ne se valent pas au regard des valeurs qu'elles prétendent promouvoir : la mise en place d'une situation-problème n'est pas équivalente à l'organisation de cours strictement informatifs, la proposition de groupes de besoin ou d'ateliers différenciés n'a pas la même portée éthique que la gestion indifférenciée d'un groupe de niveau, la pratique du « conseil d'élèves » n'a pas la même valeur que la simple annonce d'un règlement. Les sujets n'y sont pas interpellés de la même manière et l'exigence de la valeur — qui n'est rien d'autre, précisément, que l'exigence de leur reconnaissance — n'y est pas présente de la même façon. Il existe, qu'on le veuille ou non, des pratiques didactiques, des modes de fonctionnement des institutions éducatives, où l'on ne peut tirer son épingle du jeu qu'en ignorant les autres et parfois même en les écrasant. Il existe également des tentatives, toujours difficiles et fragiles mais dont l'importance n'échappe jamais aux élèves qui y sont impliqués, grâce auxquelles la parole de chacun peut s'inscrire dans un collectif qui contribue à lui donner du sens et du poids. Il est des dispositifs dont la réussite dépend de la qualité d'écoute de chacun à l'égard des autres, des pédagogies où la solidarité n'est ni interdite ni ridicule, des pédagogies où, de toute évidence, on n'hésite pas à « faire de la politique ».

26

Du politique

Chacun s'accorde, depuis plusieurs siècles, à reconnaître la dimension politique de l'Education. Pourtant, après deux guerres mondiales, la Shoah et Hiroshima, les choses ne sont plus tout à fait aussi simples. L'instruction, que chacun considérait comme l'instrument décisif du progrès des hommes, n'a rien empêché : des philosophes, parmi les plus lettrés, ont fermé les yeux sur le génocide ; des savants, parmi les plus prestigieux, nous ont fourni les armes de notre anéantissement, des peuples entiers, ou presque, — et le nôtre même, qui avait pourtant bénéficié des lumières des « hussards noirs de la République » — ont pu applaudir Munich et trouver tolérable la collaboration avec la barbarie. Certes, il y eut un sursaut et l'honneur fut sauvé. Mais la foi dans l'émancipation et le bonheur des hommes par le seul pouvoir de la connaissance en a été à jamais ébranlée[1]. L'Histoire, s'il le fallait, nous a rappelé que rien n'est jamais garanti par la simple « transmission » des savoirs et des valeurs — fût-elle l'œuvre de prosélytes convaincus, fût-elle systématiquement organisée avec le soutien de l'Etat, l'appui des intellectuels et l'accord du peuple lui-même. Rien ne peut épargner à chaque génération, à chaque être, et à chaque instant de son existence, la responsabilité de ses choix. L'instruction n'est pas une « assurance tous risques » contre le mal, les leçons de morale non plus...

Et pourtant, avec une récurrence étonnante, l'utopie de l'unifica-

---

1. On se souvient que c'est Paul VALERY qui, à l'issue de la Première Guerre mondiale, écrivit dans *La crise de l'esprit* : « Nous autres, civilisations, nous savons maintenant que nous sommes mortelles » (*Oeuvres*, tome 1, Gallimard, Collection « La Pléiade », Paris, 1968, page 988). De toute évidence l'avertissement n'a pas été entendu... Et les intellectuels n'en ont pas tiré toutes les conclusions : non qu'il faille sombrer dans le relativisme, ni même renoncer à chercher à faire partager les valeurs auxquelles l'on adhère, mais sans doute convient-il d'abandonner le triomphalisme et la suffisance pour aller vers une universalité qui, loin de soumettre les autres, accepte de se soumettre à eux (sur ce thème, voir le chapitre 14 : « La modestie de l'universel »).

tion nationale autour des valeurs républicaines de la liberté, de l'égalité et de la fraternité par l'apprentissage scolaire du « lire, écrire, compter » fait toujours recette. Certes, on peut comprendre où s'enracine cette conviction : dans l'expérience de la connaissance intellectuelle elle-même et de la plénitude qu'elle procure, dans le sentiment qu'une telle expérience transforme radicalement celui qui l'a effectuée et qui s'est, en quelque sorte, exhaussé par là au-dessus de lui-même et de ses préjugés... dans l'intuition, enfin, que quiconque a atteint « le vrai », même partiellement, même fugacement, ne peut pas être tout à fait mauvais.

Et cet argumentaire touche juste au moins sur deux points. D'une part, il est évident, en effet, que la connaissance éclaire la vertu et favorise le discernement : être capable de s'interroger sur les conséquences possibles de ses choix, de les référer à des situations comparables, de prendre des leçons dans l'histoire en sachant, modestement, que l'on ne peut pas tout réinventer, de s'informer auprès des plus compétents en avouant, sereinement, que l'on ne peut pas tout savoir... tout cela ne peut pas nuire, bien au contraire, à l'exercice de la citoyenneté. Plus encore peut-être — ou, au moins, tout autant — l'ouverture à l'imaginaire en ce qu'elle permet d'accepter l'étrangeté de l'autre sans tenter de le réduire à l'identique ou de le détruire, en ce qu'elle offre aussi la possibilité de penser sa joie et sa souffrance et peut ainsi se substituer aux défaillances heureuses ou malheureuses de notre propre expérience... tout cela est sans doute essentiel à la formation d'un être solidaire et compatissant, déterminé à faire pièce à la barbarie.

D'autre part, l'exhortation à la connaissance s'appuie, pour légitimer ses prétentions de formation à la citoyenneté, sur le fait incontestable que la recherche de la vérité suppose l'existence d'une « vertu » préalable essentielle, quelque chose comme la volonté d'examiner avant de juger, de critiquer avant d'adopter, d'exercer sa raison le mieux possible et le plus possible[2]. Or une telle attitude peut être consi-

---

2. J'ai découvert récemment un texte de E. CLAPARÈDE écrit quelques mois avant sa mort en 1940 et qui ne fut publié intégralement en Suisse qu'en 1946 (*Morale et politique, ou les vacances de la probité*, La Baconnière, Neuchâtel, Suisse, 1974). Dans cet ouvrage, d'un courage politique exceptionnel et qui résonne de manière étrangement contemporaine, CLAPARÈDE dénonce les travers d'une pensée opportuniste qui, sous l'allure parfois séduisante d'un esthétisme qui dénie la moindre valeur à la conviction et fait peser le soupçon sur tout militantisme, s'incline, en réalité, devant la loi du plus fort. CLAPARÈDE oppose à cette attitude ce qu'il nomme « la probité » et dont il détaille les « principes » : principe de non-infaillibilité (« Je n'ai pas toujours raison »), principe de non-opportunisme (« Je ne dois pas modifier mes convictions en fonction de mes

dérée, à juste titre, comme fondatrice de la vie démocratique, la garantie même que la démocratie soit réellement confrontation de points de vue et recherche du bien commun... Mais tout le problème est que l'on ne sait pas si le choix de l'argumentation rationnelle, la décision de soumettre son jugement à la critique systématique, la volonté de se situer dans la perspective d'un universel en constitution plutôt que de se limiter à son intérêt particulier sont ici de l'ordre des conséquences ou des préalables. Car comment faire « entendre raison » à celui qui n'a pas choisi la raison ? Comment convaincre l'intolérant qui a décidé de fermer la porte à tout ce qui pourrait compromettre ses convictions ? Comment imposer la rigueur et la probité intellectuelles par la transmission de connaissances — même rigoureusement agencées — alors que la capacité à entendre ce qui est dit et à se l'approprier suppose précisément le choix préalable de la rigueur ? L'enseignant connaît bien cette vieille question philosophique que réactivent quotidiennement les résistances de ses élèves à la rationalité de son discours, résistances organisées ou larvaires, résistances des préjugés et des intérêts, résistance des passions ou des inhibitions, résistances de toutes sortes qui lui font parfois s'exclamer : « Je ne comprends pas que vous ne compreniez pas ! »[3].

---

intérêts »), principe d'impartialité (« Je dois employer la même balance pour peser les actes de mes amis et ceux de mes adversaires »), principe d'équité (« Les règles qui valent pour les autres valent aussi pour moi »). On pourrait légitimement voir dans ces « principes » de CLAPARÈDE l'expression d'une « éthique de la communication » telle que la définit HABERMAS (*Morale et communication*, Le Cerf, Paris, 1987). On peut aussi considérer que CLAPARÈDE nous propose ici des règles qui permettent à des sujets de se reconnaître réciproquement comme tels dans un échange. Que *Morale et politique* soit alors le dernier texte du grand pédagogue et que ce dernier ait expliqué qu'il était en quelque sorte son « testament intellectuel » me paraît particulièrement significatif. J'y vois volontiers le signe de la nécessité pour la pédagogie de s'articuler à une réflexion éthique et politique.

3. Dans la même perspective, Cornélius CASTORIADIS souligne, dans son dernier ouvrage (*Le monde morcelé, Les carrefours du labyrinthe III*, Le Seuil, Paris, 1990) que l'idée même de démocratie régie par l'interargumentation rationnelle ne peut être ni fondée ni démontrée dans la mesure où toute démonstration présupposerait déjà le choix de cette argumentation rationnelle comme critère de validité du discours. En revanche, il explique qu'il convient d'expliciter cette idée en cherchant les conditions de possibilité de sa réalisation. Il faut alors « former des institutions » rendant possible l'exercice de cette interargumentation et, reformulant le « contrat social » de ROUSSEAU, CASTORIADIS explique qu'il faut « créer les institutions qui, intériorisées par les individus, facilitent le plus possible leur accession à leur autonomie individuelle et leur possibilité de participation effective à tout pouvoir explicite existant dans la société » (page 138). Je fais mien totalement ce projet qui me paraît une excellente formulation de ce que devrait être une véritable « éducation à la démocratie ».

C'est que si, de toute évidence, l'interargumentation rationnelle est le fondement de toute socialité démocratique, elle ne peut être invoquée comme si tous les sujets y étaient en quelque sorte constitutivement disposés, comme si l'on devait simplement les défaire de toute adhérence à leurs situations concrètes et incarnées qui les entraînerait inévitablement vers des positions « impures » à l'aune de l'universalité. En réalité, l'incantation universaliste relève d'une ignorance des « êtres-en-situation »[4]. Elle se heurte donc à eux de plein front et ne peut que constater qu'ils sont réfractaires à son propos... ce qui, dans le pire des cas, arme malheureusement le bras d'une reprise en main autoritaire[5].

---

4. Dans son dernier livre (*Soi-même comme un autre*, Le Seuil, Paris, 1990), P. RICŒUR analyse la thèse d'HABERMAS et lui reconnaît le mérite de proposer une théorie cohérente permettant de penser les pratiques communicationnelles et de juger de leur légitimité. Il souligne que « l'interargumentation rationnelle » constitue bien l'expression structurelle de l'universalité en train de se constituer... Mais il explique que « le sujet qui argumente » — au sens où l'entend HABERMAS — est un sujet « abstrait » et que « l'argumentation n'est qu'un segment abstrait dans un procès langagier » (page 334). L'argumentation est toujours, en réalité, portée par une conviction, insérée dans une situation, exprimée par des procédés spécifiques. Dans ces conditions, l'exigence d'HABERMAS n'apparaît plus comme devant représenter l'idéal de la communication mais comme susceptible d'introduire dans les pratiques une pondération régulatrice par rapport aux convictions. P. RICŒUR parle d'« universels en contexte » (page 336) pour bien montrer que c'est à travers des conflits d'opinions, dans des situations complexes où la charge humaine (affective et sociale) est très importante, dans le concret de l'histoire, que peut intervenir le principe d'universalisation. On arrive alors à « un équilibre réfléchi entre éthique de l'argumentation et convictions bien pesées » (page 335), équilibre fragile, difficile, mais qui constitue précisément un pari possible pour l'humain.

5. C. RUEFF-ESCOUBES et J. F. MOREAU proposent, dans *La démocratie à l'école* (Syros, Paris, 1985), une méthode permettant aux élèves de s'exprimer individuellement et collectivement sur ce qu'ils vivent dans la classe. En partant du principe que « l'expression collective n'est pas spontanée » (page 75), ils ont élaboré un dispositif intéressant dans lequel le groupe-classe s'adresse à l'équipe des enseignants avec la médiation des conseillers d'orientation. Il s'agit ici, à la fois, d'apprendre à s'exprimer individuellement, à s'écouter mutuellement, à maîtriser les conduites impulsives, mais aussi d'apprendre à exercer un réel pouvoir collectif dans l'institution scolaire. S'agit-il, pour autant, d'une véritable « démocratie à l'école » et la formation des élèves est-elle suffisante ?
On peut s'interroger, d'une part, sur la nature du pouvoir exercé par les élèves et se demander s'il ne s'exerce pas trop, en dépit de quelques incursions intéressantes (pages 126 à 129) aux marges de l'école, dans ce qui ne la concerne pas au premier chef, en laissant de côté, par là, la gestion des apprentissages où pourrait s'opérer une sorte de « récupération en dernière instance ». D'autre part, malgré les sous-groupes de régulation et le souci répété des animateurs d'être attentifs aux inégalités dans la prise de parole et aux phénomènes de pression entre élèves, on peut se demander si le dispositif assure efficacement la participation de chacun.

Un idéal politique qui se donne pour fin la promotion de tous les hommes au rang de sujets, un projet qui porte ainsi en lui-même la perspective de l'universalité, ne peut avoir quelque chance d'aboutir que s'il prend le temps de travailler sur le pédagogique, dans le concret, le particulier, l'historique, que s'il se donne la peine de partir des situations dans lesquelles les personnes sont impliquées au lieu de les exhorter — sans aucune chance de succès — à ne penser et n'agir que comme des abstractions.

C'est pourquoi il n'y a de « pédagogie du politique » que dans une didactique « centrée sur l'élève » ; non une didactique qui abandonnerait démagogiquement ses objectifs d'apprentissage mais une didactique qui ne méconnaît pas que ce sont des élèves concrets qui apprennent, que l'on ne peut donc pas faire l'économie d'un travail avec eux sur leurs représentations préalables, de la prise au sérieux de leur manière de penser et d'agir... non pour les idolâtrer ou les récuser mais pour créer les conditions où ils puissent en éprouver ensemble et eux-mêmes les limites[6]. L'universel s'ébauche, en effet, dans la classe, quand les échanges y sont organisés pour en permettre l'émergence progressive, quand le travail est conçu de telle manière que l'apport de chacun soit possible et respecté, quand la production collective n'entraîne pas les individus dans une division du travail où l'exclusion d'une partie des membres, jugés moins compétents, leur est payée par la possibilité d'une identification tardive dans le produit. L'universel s'éprouve dans une situation éducative où la diversité des personnes, de leurs points de vue et de leurs apports, peut s'exprimer sur une reconnaissance fondatrice et avec des règles du jeu communes. Il ne s'agit pas ici d'abolir la diversité mais d'offrir la perspective d'une société plurielle où l'expression de la différence soit constitutive de la solidarité entre tous les membres. L'universel, en réalité, peut se vivre à l'Ecole dès lors que l'on met en place une structure de la communication qui offre à chacun et à tous la possibilité de se dire, d'entendre l'autre et de se dépasser[7].

---

6. Cette démarche me paraît bien incarnée dans l'ouvrage de J.R. LADMIRAL et E.M. LIPIANSKY, *La communication interculturelle* (Armand Colin, Paris, 1989). Les auteurs y montrent, à travers l'analyse de rencontres franco-allemandes, comment un dispositif régulé de « dynamique de groupe » permet l'émergence de représentations, parfois même avec une certaine violence qu'il convient de ne pas interdire au nom d'une morale bienveillante de la tolérance et de la gentillesse, et comment le travail sur ces représentations permet l'accès à une véritable communication interculturelle.

7. Quand j'ai proposé, dans ma thèse parue en 1984 (en particulier dans le tome 2, *Outils pour apprendre en groupe*, Chronique Sociale, Lyon, 3e édition 1990), la notion

En d'autres termes, il me semble que la démocratie ne peut guère se construire dans un rapport pédagogique où l'éducateur se contente d'y exhorter les élèves ou de postuler que l'accès au savoir est immédiat et conduit en quelque sorte naturellement aux rivages d'une intelligence rationnelle dégagée de toute gangue affective et sociale. La démocratie ne peut s'ébaucher que dans la mesure où l'éducateur prend en compte les individus tels qu'ils sont et met en place une organisation du travail sur laquelle ils puissent s'appuyer pour agir en commun en se reconnaissant réciproquement comme sujets.... Ce qui n'interdit nullement à chacun, d'ailleurs, de se dérober à ce processus, mais ce qui lui offre la possibilité d'en découvrir progressivement le sens et garantit que sa liberté n'est pas une « liberté du vide ».

C'est pourquoi il faut dire et répéter que le politique ne récuse pas le pédagogique mais l'interpelle sur sa détermination à créer les conditions de son avènement. Un avènement qu'il faut s'efforcer de rendre possible, à l'Ecole, dans ce qui fait précisément la spécificité de ce lieu, c'est-à-dire les apprentissages. Car placer l'éducation au politique à la seule périphérie de l'activité didactique serait indubitablement la dévaloriser, en avouer le caractère marginal et laisser en fait se développer au centre même de l'institution des formes de socialité qui, malgré leurs dénégations, relèvent tout autant d'un projet politique. Il ne s'agit pas ici de sacrifier les apprentissages scolaires au profit d'un parlementarisme bavard ou de s'adonner en classe à la contestation incessante ; il s'agit de mettre en cohérence, dans les apprentissages eux-mêmes, les valeurs que l'on souhaite promouvoir avec les principes qui inspirent nos pratiques didactiques.

---

de « groupe d'apprentissage », j'ai hésité à lui donner une « dimension politique » (voir les pages 79 à 82). Pourtant, le type de fonctionnement groupal que je décrivais alors était très proche de ce que je définis ici comme un projet de formation à la vie démocratique : il s'agissait bien de définir des règles du jeu dans lesquelles la promotion de chacun soit garantie par l'expression de tous. Mais je craignais alors que l'on confonde une technique didactique particulière (le « groupe d'apprentissage » avec l'ensemble de ses contraintes organisationnelles) avec le projet pédagogique global d'une « école plurielle » (reformulé plus tard sous l'expression « pédagogie différenciée »). Et, effectivement, le « groupe d'apprentissage » n'est bien qu'un moyen parmi d'autres pour favoriser un certain type d'interaction entre les personnes que je qualifie de démocratique. Il a peut-être, cependant, un statut original qui rend son utilisation particulièrement précieuse du fait qu'il « grossit les traits » et permet de voir s'inscrire concrètement dans un mode de « fonctionnement groupal des valeurs correspondant à une certaine éthique de la communication ». C'est dire à la fois son caractère irremplaçable et le fait qu'il ne doit pas occuper toute la place au risque de générer la dépendance des sujets vis-à-vis du dispositif qu'il institue.

Rien n'empêche alors, une fois que cette cohérence est assurée et notre crédit gagné, de développer des expériences de démocratie appliquées à la gestion de la vie collective telles que « le conseil » dans la pédagogie institutionnelle[8], l'élection de délégués d'élèves, l'organisation de consultations ou de débats. Celles-ci, à leur tour, pourront échapper au formalisme si l'éducateur sait en faire très concrètement des occasions d'éprouver la détermination des participants à soumettre leur argumentation à la critique d'autrui et à participer à un échange en s'efforçant d'éviter toute forme de pression. Certes, là encore, on n'y parviendra pas d'emblée et il faudra aiguiser ensemble la vigilance de chacun à traquer en lui-même toutes les velléités pour mettre sa parole à l'abri et lui assurer l'hégémonie : de la violence en sursis à l'argument d'autorité, du silence entendu aux menaces sous-entendues, de la démagogie flatteuse aux menaces du bouc émissaire... Car multiples sont les formes du discours totalitaire qui cherche à assurer sa domination en prohibant tout examen critique... si multiples et puissantes, nombreuses et insinuantes qu'il faut bien que toutes les activités pédagogiques contribuent à les débusquer.

Au total, à moins que l'on ne considère le politique comme ayant déjà atteint sa plénitude et la démocratie comme un état de fait instauré une bonne fois pour toutes, susceptible de se pérenniser indépendamment de l'activité des hommes, la dimension politique de l'éducation renvoie bien à une éducation au politique. Plus encore, l'éducation au politique renvoie inévitablement le pédagogue à la pédagogie, et plus précisément à sa pédagogie. Ou encore, plus brutalement : ce n'est pas seulement le fait d'enseigner à nos enfants à « lire-écrire-compter » qui assurera le triomphe de la « civilisation » et de la démocratie, mais c'est

8. En dépit des craintes que j'ai pu exprimer par rapport aux propositions de la pédagogie institutionnelle — en particulier sur les modalités d'organisation du travail des groupes et le glissement de la formation vers la psychothérapie —, il me semble que « le conseil » tel qu'il est pratiqué par les institutionnalistes représente bien une sorte d'anticipation démocratique particulièrement intéressante (bien illustrée dans l'ouvrage de C. Pochet et F. Oury, *Qui c'est l'conseil* ?, Maspero-La Découverte, Paris, 1982). Le simple fait de demander à l'élève de surseoir à ses réactions impulsives pour débattre d'une difficulté au « conseil » est, en effet, tout à fait déterminant : le sursis à l'acte est le temps de la réflexion, celui, donc, de l'intelligence. De plus, l'organisation de ce « conseil » est bien conçue pour permettre à chacun de s'expliquer et de s'exposer — pour autant que cela ne représente pas de danger pour son équilibre psychologique — à la critique des autres. Je crois simplement qu'il faut être attentif aux risques de dérive « fusionnelle » et à la fuite systématique vers des questions qui ne concernent pas la gestion des apprentissages.

l'attention à la manière dont ils apprennent à « lire-écrire-compter » et aux valeurs que l'on promeut à cette occasion qui nous permet d'espérer qu'ils fassent eux-mêmes le choix de la « civilisation » et de la démocratie.

27

Le merveilleux et la médiocrité

Ainsi l'exigence éthique a-t-elle vocation à inspirer l'ensemble de l'activité pédagogique, jusqu'aux plus petites décisions qui, en son sein, paraissent souvent relever de choix résolument techniques. Il n'est pas un dispositif, pas une méthode de travail, pas même une inflexion de voix qui ne prenne parti, à sa manière, en faveur de l'émergence de sujets capables de se reconnaître réciproquement comme tels ou qui, au contraire, encourage l'intolérance, la rivalité partisane, l'utilisation d'autrui à ses propres fins.

Car c'est bien l'exigence éthique, en tant qu'elle nourrit l'effort constant pour susciter l'émergence de l'autre, et, plus encore, en tant qu'elle s'efforce de créer les conditions pour que l'autre accepte et suscite lui-même, à son tour, l'émergence d'un autre, c'est cette exigence qui est, à la fois, la clé de voûte et la vection centrale du pédagogique. Clé de voûte parce que, sans elle, toutes les technologies s'effondrent, au risque d'écraser sous leur poids ceux qui n'auraient pas vu venir le danger assez tôt ; vection centrale parce que seule cette promotion de l'humain dans le pédagogique, cette « reconnaissance en relais » où l'organisateur n'impose pas mais permet et suscite le passage du témoin, est susceptible de faire du pédagogique une entreprise qui ait un sens dans l'histoire des hommes.

Mais on ne peut vivre à chaque instant dans la tension extrême qu'impose cette exigence. Pas plus qu'il n'est possible de l'abandonner sans y perdre son âme, il n'est possible de s'y abandonner sans y perdre la vie...

D'abord parce que l'éducation est toujours talonnée par l'urgence de la quotidienneté, que les principes y sont constamment violés sous la pression des impératifs institutionnels, de la fatigue professionnelle ou personnelle, du découragement inévitable de celui qui, sans attendre de reconnaissance, espère toujours néanmoins secrètement — mais sans guère de succès — que les élèves ne se lèveront pas précipitamment à la sonnerie, avant même qu'il ait fini sa phrase. Et puis il y a, dans toute réalité éducative, ces moments à haut risque où la violence affleure, où la survie d'un individu ou d'un groupe est menacée, où l'éducateur atteint le seuil de tolérance au-delà duquel il ne répond plus de rien et surtout plus de lui-même. Qui peut alors se contenter de condamner le recours à un pouvoir dont la brutalité peut — et doit — choquer mais que l'on vit, dans l'instant, comme absolument nécessaire et même souvent comme indiscutable ? « Indiscutable », au sens propre du mot, parce qu'il y a bien des moments — et nous en avons tous fait l'expérience — où l'on n'a ni le temps ni la force de discuter. Et « que celui qui n'a jamais péché jette ici le première pierre... »

Plus profondément encore, quiconque s'est frotté à l'exigence éthique en matière éducative sait bien qu'il ne peut la tenir en permanence, que la tension serait trop forte, la pression trop lourde et la surchauffe affective toujours menaçante. Car il n'est pas d'exigence éthique qui ne soit portée par un investissement personnel et il n'est pas d'investissement personnel qui ne puisse être aspiré, jusqu'à se perdre, dans le cyclone narcissique. L'éthique est suspendue à ma détermination mais ma détermination peut toujours se faire obsession et l'obsession basculer dans l'égocentrisme. En d'autres termes, le vouloir est toujours menacé d'intransitivité : à trop vouloir, je risque de ne plus savoir vraiment ce que je veux et, au fond, à ne plus vouloir que vouloir. C'est alors que survient le délire et, avec lui, l'inversion de la démarche éthique elle-même. Quand je devrais préparer la place de l'autre je prends moi-même toute la place, même si c'est pour affirmer, dans la plainte ou l'exaltation insistantes, que précisément je veux céder la place.

C'est pourquoi il faut savoir, parfois, pratiquer l'indifférence de circonstance, sauver ce qui permettra de continuer à se donner, utiliser les ficelles qui, dans le métier, nous permettent de « souffler », faire, quand c'est nécessaire, une sorte de « pause éthique »[1]... J'ai

---

1. Dans *Le paradoxe de la morale* (Le Seuil, Collection « Points », Paris, 1989), V. JANKELEVITCH montre avec beaucoup de force que ce qui constitue l'essence même de « l'exigence éthique » est la « préférabilité inconditionnelle d'autrui » : préférabilité qui s'impose en dehors de toute raison et qui n'admet aucune condition... Si j'aime l'autre parce qu'il me ressemble ou que j'espère secrètement qu'il me rendra ce que je lui donne et que j'y retrouverai mon compte, je ne suis pas dans le registre de l'éthique mais dans celui du marché. Il ne peut y avoir de « parce que » dans le don, le dévouement ou le sacrifice sans que cela ruine la possibilité même de penser l'action humaine en termes éthiques. Aimer les hommes « parce que » (ils appartiennent à ma famille, partagent mes convictions, cotisent au même parti, ont les mêmes coutumes, me

bien écrit « pause éthique » et non pas « pause dans l'éthique », tant il est vrai que rien n'est plus éthique que de préserver les conditions de l'engagement éthique, que de se garder de cette frénésie de soi qui menace toujours la volonté obstinée. L'exigence de la pureté, quand elle risque de générer cette sorte de sacrifice que le sacrifié savoure secrètement ou auquel il cède comme à une fatalité inéluctable, menace toute éthique puisqu'elle compromet l'existence d'un sujet, de celui qui, précisément, doit assurer l'émergence et garantir l'existence des autres.

On ne peut donc pas se passer de ces moments d'« indifférence professionnelle » dans lesquels nous savons bien que nous choisissons, pour l'instant, la facilité mais où nous le faisons avec la moindre satisfaction possible, au nom d'une sorte de nécessité fonctionnelle, comme pour « respirer » et repartir dans une minute, une heure ou une journée vers un nouvel engagement... « Ouvrez votre livre à la page 34... », « Mettez-vous par groupes de trois et faites l'exercice numéro 12... », « Prenez sous ma dictée les définitions suivantes... », « Je punis le premier qui parle... » Et je mesure bien, au moment où je prononce ces phrases, leur médiocrité ; j'en ai même, sans doute, un peu honte, assez pour ne pas m'y installer mais pas trop, pour ne pas me nourrir de mon apitoiement sur moi-même. Je reprends mon souffle, simplement, au moment où je pressens que le maintien de l'exigence à son niveau

---

rendent ce que je leur donne...), c'est aimer certains hommes et pas d'autres, c'est établir une frontière qui renvoie inévitablement à moi-même, à mes intérêts ou à mes peurs, à mon désir d'être aimé ou à celui d'être reconnu : « Le paradoxe, c'est d'aimer l'homme non pas en tant que tel ou tel, parce que ceci ou parce que cela, juif ou grec, mais en tant que rien du tout, ou plutôt sans nul en-tant-que ou, ce qui revient au même, d'aimer l'homme en tant qu'homme. Comme la *causa sui* au-delà de laquelle on ne peut remonter » (page 49).
Mais V. JANKELEVITCH explique ensuite que, si l'amour est don de soi, il faut exister pour pouvoir se donner. Or, si l'on ne vit que pour autrui, on risque bien d'en mourir... et de ne plus pouvoir se donner à personne : « Aussi faut-il savoir céder à temps, juste avant la dernière extrémité. (...) C'est alors l'abnégation elle-même qui demande à chaque homme de survivre, pour que le sacrifice ne soit pas un suicide » (page 125). Ainsi « je n'ai droit à rien et, nonobstant, je recevrai en définitive ce qui me revient, ce qui me revient sans m'être dû. Je le recevrai à condition de ne pas le réclamer, de ne même pas y avoir pensé ; je le recevrai en toute humilité et en toute innocence » (page 187). Le paradoxe de toute éthique est là, dans la nécessité de garder quelque chose de soi pour pouvoir encore préférer les autres, dans le renoncement à la reconnaissance pour que la préférence de l'autre ne soit pas une manière perverse de me ramener à moi... dans des exigences contradictoires avec lesquelles il nous faut vivre ou, plus exactement, qui constituent « la vie » elle-même dans son extrême fragilité, l'humanité dans son extrême précarité.

maximal mettrait en question ma survie elle-même. Je choisis la parenthèse pour ne pas sacrifier le texte ; je me résigne à ne pas vivre toujours *a maxima* pour pouvoir parfois travailler à l'essentiel.

Ainsi toute activité pédagogique est-elle tendue en permanence entre la nostalgie du merveilleux et la tolérance de la médiocrité. Je dois sans cesse vivre dans l'espérance éthique que toute mon action soit organisée pour permettre l'émergence, en face de moi, de sujets autonomes, mais ne nourrir aucune culpabilité du fait que je n'y parviens pas partout et tout le temps, que j'ai parfois recours à des procédés inavouables mais sans lesquels la tension serait telle, en moi, que je n'y survivrai pas longtemps. Réciproquement, il me faut accepter, parfois, de simplement « fonctionner », pour autant que je ne perde pas de vue l'horizon et que je ne m'installe pas dans le provisoire, renonçant alors, pour survivre, à ce qui me fait vivre. Certes, la chose n'est pas simple et rien ne nous permet de penser que nous puissions, un jour, échapper à ce dilemme. Mais, peut-être, peut-on, au moins, trouver quelques moyens sur lesquels s'appuyer dans cette difficile aventure ?

28

L'obligation de trivialité

Tout chercheur a, c'est certain, le projet de conceptualiser. C'est par les concepts, en effet, qu'il se saisit du monde, dégage de la masse immense des événements et des choses ce qui fera sens pour nous, parce que cela nous permettra, à la fois, de lire le réel et d'agir sur lui. Les concepts, en ce sens, ne sont ni dans le monde ni dans l'homme, ils sont construits dans leur interaction et modifiés dans leur histoire ; ils sont définis et organisés, simultanément, par une théorie qui, à un moment donné, nous fournit une image acceptable de nous-mêmes et de l'univers.

En matière éducative, comme partout donc, nous avons besoin de concepts, nous avons besoin d'outils intellectuels qui nous rendent intelligents, c'est-à-dire qui nous aident à accéder à l'« intelligence de la chose éducative ». Nous avons besoin de pouvoir comprendre ce que nous vivons, d'organiser quelques-unes de nos observations, de faire des hypothèses d'explication et d'en vérifier la portée... Et cet ouvrage lui-même n'a d'autre ambition que de livrer quelques concepts à partir desquels penser l'aventure éducative, comprendre les comportements des partenaires qui s'y trouvent impliqués et nous aider, autant que faire se peut, à réagir de manière pertinente. Le lecteur dira si j'y suis parvenu... Mais mon inquiétude, arrivé à ce point de ma démarche, est que nous succombions, lui et moi, à la fascination esthétique que procure le maniement des concepts jusqu'à en oublier les situations auxquelles ils voudraient se référer et qu'ils voudraient éclairer.

C'est que je connais bien la « tentation théorique » des penseurs de l'éducation, leur fantastique capacité à élaborer de savants échafaudages intellectuels coupés de toute réalité. Je les entends d'ici — et, sans doute, parce que je ne leur suis pas totalement étranger — gloser sur l'« universel-en-acte », la rencontre avec l'expérience décisive du Vrai, la révélation d'un absolu ou la rupture avec le narcissisme initial. Je les entends d'ici — comme en écho à mes propres propos — parler de l'Etat et de la citoyenneté, du partage et du don, de la praxis et de l'éthique sans que cela n'évoque pour quiconque le moindre visage, sans que personne n'entende le plus petit éclat de voix, sans que l'on puisse imaginer une situation concrète qui briserait là l'escalade de l'abstraction. Tout se passe en effet comme si la question éducative avait ce fantastique pouvoir de susciter des discours — souvent d'une extrême richesse formelle — mais complètement déconnectés de ce dont ils prétendent parler.

Certes, il est toujours nécessaire d'« élever le débat », comme on dit, d'afficher ses finalités et d'esquisser des horizons théoriques, même lointains, même utopiques. Mais ce n'est pas de cela qu'il s'agit ici : il me semble plutôt que, dans de nombreux textes sur l'éducation, on ne se préoccupe guère d'interroger ou de faire évoluer les pratiques, on s'intéresse essentiellement au développement de la seule pratique qui semble importante pour leurs auteurs : celle du « discours sur ». Les règles du jeu sont alors toutes particulières : il ne s'agit pas de construire une théorie qui permette d'avoir prise sur les choses et d'améliorer — même médiocrement, même de manière infinitésimale — le quotidien éducatif, il s'agit plutôt de produire un discours qui relance le débat, permette de poursuivre la discussion, entretienne dans l'opinion l'idée qu'il est véritablement nécessaire que des spécialistes parlent de ces choses... puisque eux seuls, d'une certaine manière, les appréhendent et même les font exister.

Bien évidemment, personne ne se reconnaîtra dans ce portrait et chacun va protester de sa bonne foi en la matière : les plus hardis — ou les plus inquiets — verront même dans mes propos l'expression d'un anti-intellectualisme préoccupant, voire le moyen pour leur auteur d'échapper à la discussion et au débat « scientifique ». Mais je crois qu'ils ont tort. Je crois que chacun doit reconnaître, en fait, qu'il est soumis à la même tentation et que, devant la complexité d'une aventure à bien des égards insaisissable et où les risques personnels sont toujours présents, il peut se laisser aspirer par une spéculation qui lui permette de se mettre à l'abri. Car nous aimons tous à parler des choses dans le registre des généralités bienveillantes, en jouant des paradoxes et en faisant briller notre érudition, en cherchant même dans la « grande histoire » le moyen de ne pas parler de nos « petites histoires »... Apparaître « dans le coup » sans « se mettre en jeu » est une position qui comporte bien trop d'avantages pour qu'on ne soupçonne pas ceux qui s'y trouvent à l'aise, pour qu'on n'exerce pas sur soi-même, à cet égard, une vigilance critique constante[1].

---

1. Dans la belle postface à la huitième édition de son ouvrage *Les objectifs pédagogiques* (ESF éditeur, Paris, 1990), D. HAMELINE suggère que la responsabilité d'une action de formation doit revenir « à celui qui en assumera l'ascèse », c'est-à-dire celui

Car il n'y a bien que des « petites histoires » en éducation et la détermination éducative s'éprouve, en réalité, au ras du sol, à la considération de chaque cas individuel, en face de chaque situation particulière. Le projet d'éduquer n'est rien s'il n'est pas le projet d'éduquer des individus concrets qui résistent toujours plus ou moins à ce que je veux faire d'eux. Le projet d'instruire n'est rien s'il n'est pas le projet de faire apprendre ici et maintenant, à des sujets précis et identifiés, quelques bribes de savoirs. Rien n'est plus dérisoire que cette incantation à l'enseignement qui dénie toute existence à ceux qui sont censés apprendre... Rien n'est plus dérisoire que cette pensée éducative qui est précisément incapable de penser « le dérisoire » des situations d'éducation : le fait que ceux à qui l'on s'adresse ne ressentent ni le besoin ni la nécessité des savoirs qu'on leur transmet, le fait qu'ils ne disposent peut-être pas des pré-requis nécessaires, le fait qu'ils sont fatigués ou inquiets, qu'ils s'agitent ou pensent à autre chose... Quelle que soit la grandiloquence du propos, le projet de faire apprendre est insignifiant ou ridicule tant qu'il ne s'incarne pas avec des élèves précis : avec celui qui croule sous le poids des difficultés familiales, avec celui qui ne comprend pas mon langage et les consignes de travail que je lui donne, avec celui qui joue sa réputation dans le groupe, avec celui qui a mal aux dents et celui qui est amoureux, avec celui que l'institution scolaire a brisé et celui que l'institution sociale a découragé, avec celui qui, aujourd'hui, maintenant, résiste à mon enseignement...

Quant au projet d'émanciper, il n'est rien non plus si l'on ne s'interroge pas concrètement sur les moyens que l'on offre aux élèves pour prendre du pouvoir sur les apprentissages qu'on leur propose et échapper aussi bien à la captation de l'éducateur qu'à celle du groupe. Il n'est rien s'il ne s'articule pas, dans le concret et en assumant les contradictions inévitables, à la nécessité de « tenir sa classe » et d'en obtenir des résultats. Il n'est rien si l'on ne parvient pas à équilibrer un légitime désir de maîtrise et une volonté indéfectible d'offrir à autrui les moyens d'y échapper. Il n'est rien si l'on n'organise pas le temps et l'espace de la collectivité apprenante de manière à ce que chacun puisse y trouver sa place, y prendre la parole et y être reconnu. Que veut dire

---

qui cherchera à déjouer, « dans une interaction lutteuse avec l'humain à la fois inconnu et reconnu, l'insuffisance de la pratique et la suffisance de la pensée » (page 203). Ainsi entendue, l'ascèse est bien cet effort pour dépasser l'empirisme du praticien sans basculer dans la superbe du théoricien, celui que D. HAMELINE appelle le doctus et pour lequel « discourir sur l'action dispenserait d'avoir commencé par comprendre l'action » (page 202)... et de finir par agir !

« émanciper » et quel sens peut avoir l'appel incantatoire à l'émancipation tant que l'on ne se demande pas comment faire accéder à l'expression personnelle celui qui a toujours été parlé dans le discours de ses parents, celui qui bavarde tout le temps pour ne pas avoir à s'impliquer dans une parole, celui qui ne dispose d'aucun savoir ou savoir-faire valorisé par l'Ecole, celui qui est fasciné par un autre — adulte ou enfant — au point de sombrer dans un mimétisme absolu, celui qui a toujours été rejeté, celui qui ne connaît d'autre moyen de parler que la violence aveugle ? Comment faire en sorte que, dans l'appropriation même des connaissances, ils puissent dire « je », construire leur propre histoire et grandir avec nous ?

Refuser de prendre en compte ces questions, se dérober par une boutade, affirmer qu'il convient de s'attaquer aux causes et non de répondre au coup par coup à des situations insolubles... ou bien, *a contrario*, rétorquer que ce sont là des « problèmes de cuisine », trop spécifiques, qu'ils requièrent la simple consultation d'un technicien... c'est, en réalité, se dévoiler. C'est avouer que l'on ne se veut pas éducateur, que l'on est peut-être intéressé par la spéculation — peut-on dire philosophique ? — mais pas par le sort des personnes concrètes, celles que l'on rencontre quand on descend de son piédestal et que l'on se coltine la lourde tâche d'en « faire quelque chose », les seules qui vaillent la peine parce que les seules, au fond, qui existent vraiment.

En revanche, se poser ces questions, tourner résolument son regard vers ces « petites histoires », s'efforcer de les dire sans complaisance ni apitoiement, de parler ou d'écrire « en vérité » — même si l'on sait, évidemment, que l'on n'y parviendra jamais vraiment — de ce qui se passe dans l'acte même d'éduquer, c'est se donner quelques atouts pour en réussir l'entreprise[2]. Travailler en termes de « résolution de

---

2. Certains ouvrages qui s'inspirent de la pédagogie institutionnelle incarnent bien cette démarche ; le plus remarquable, à cet égard, est : *L'année dernière, j'étais mort. Signé : Miloud*, de C. POCHET, F. et J. OURY (Matrice, Vigneux, 1986).
J'ai, par ailleurs, introduit un recueil de témoignages d'enseignants sur leurs pratiques (*Réussir à l'école*, C.G.E. et Cahiers pédagogiques, Chronique sociale-Vie ouvrière, Bruxelles, 1987) qui correspond bien, me semble-t-il, à cette inspiration. J'écrivais alors : « Le récit, ici, n'est pas un exercice de style, un mode d'expression parmi d'autres, mais c'est, bien souvent à l'insu de ses auteurs, l'expression d'un choix éthique. Le choix, d'abord, de quitter l'incantation et les principes généreux et généraux pour mettre leurs intentions à l'épreuve des faits. Mais le choix, surtout, de leur référent ultime, l'élève. Car, raconter est à la fois un moyen de garder trace pour soi, de faire signe à autrui et de s'astreindre à tourner son regard vers les élèves pour reconnaître le poids du vivant et l'importance des personnes. Tenter de raconter ce qui se

problèmes professionnels », mettre en place des groupes de réflexion sur les pratiques, élaborer des monographies, c'est se mettre en face du « visage » de l'autre, c'est ouvrir la voie à la question éthique, à la question qui n'a de sens, de consistance, d'existence même que quand l'Autre fait question[3].

---

passe dans la classe, c'est tout le contraire de cet aplatissement de la situation pédagogique qui n'en fait qu'une simple "transmission" mécanique. Tenter de raconter c'est essayer de mettre au jour le "drame" qui se joue dans l'apprentissage entre les sujets et les objets, c'est essayer de comprendre ce qui se joue dans l'aventure scolaire, ou, au moins, reconnaître que quelque chose se joue que n'épuise pas la simple circulation des connaissances. » (page 12).
Depuis, j'ai lu avec beaucoup d'intérêt les deux ouvrages de B. DEFRANCE *La violence à l'école* (Syros, Paris, 1988) et *Les parents, les profs et l'école* (Syros, Paris, 1990) : l'auteur y effectue des analyses théoriques très fines qui sont en permanence illustrées et ressourcées par des témoignages d'enseignants, d'élèves et de parents. On y trouve une « épaisseur philosophique » autrement plus salutaire que bien des jeux conceptuels.

3. Je ne peux que renvoyer, à nouveau, à l'œuvre d'E. LEVINAS et à ce qu'il dit du visage « qui se refuse à ma possession, à mes pouvoirs »... Le visage m'appelle, non à l'interpréter, le décrypter, le manipuler, mais bien à lui parler. Il résiste au traitement chosifiant que je voudrais lui faire subir ; il ne se laisse pas « saisir », il m'invite à une rencontre. C'est pourquoi je peux attraper dans les filets de mes analyses sociologiques, psychologiques, économiques, didactiques, des « faits » éducatifs généraux que j'interpréterai et dont je donnerai mon explication, mais je n'atteindrai pas par là le noyau éthique de l'éducation qui est résolument dans un « face à face » particulier et irréductible. Je peux développer de longs discours sur l'éducation en laissant échapper l'essentiel : l'Autre... « Le visage me parle et, par là, m'invite à une relation sans commune mesure avec un pouvoir qui s'exerce, fût-il jouissance ou connaissance » (*Totalité et infini*, Nijhoff, The Hague, 1984, page 172).

29

La solitude et l'équipe

Parce que l'éthique pose toujours la question de ma détermination personnelle et me place devant des responsabilités irréductiblement individuelles, il ne faudrait pas en conclure qu'elle récuse toute forme d'échange entre pairs et de travail en équipe. Certes, les bienfaits de l'équipe sont aujourd'hui suffisamment reconnus pour que celle-ci n'ait point besoin d'une légitimation supplémentaire. On sait sa valeur pour mettre sous tension les différences interindividuelles entre les personnalités cognitives, les sensibilités psychologiques et les références sociales des éducateurs. On sait que, si ces derniers parviennent à allier la convergence dans leurs objectifs et la diversité dans leurs méthodologies, ils offrent, à la fois, plus de chances de réussite à un public de plus en plus hétérogène et la possibilité, pour chacun, d'oser sa propre différence sans craindre les rappels à l'ordre mimétiques. On sait, enfin, que l'action sociale ne peut plus être solitaire et que la gestion de la complexité requiert plus que jamais la coopération.

Mais la coopération n'a de sens qu'entre des sujets libres et déterminés. Elle n'est en rien une association molle où chacun pourrait se dispenser d'être en cohérence avec lui-même sous prétexte d'être en harmonie avec le groupe... C'est ainsi que trop d'équipes meurent des ambitions démesurées qu'on leur fait porter, quand on attend d'elles qu'elles pallient systématiquement les faiblesses de leurs membres, les dispense d'authenticité, voire excuse leurs trahisons. Trop d'équipes se constituent ainsi dans la complicité pour cacher ce dont on n'est pas très fier ensemble ou, tout simplement, pour permettre à quelques-uns de se cacher dans l'ensemble. Le mythe de l'équipe est même si fort aujourd'hui que l'on parvient parfois à habiller les projets les plus banals de ses oripeaux sans que quiconque ne décèle la supercherie. L'existence d'un groupe censé avoir agi en concertation désamorce ainsi, dans bien des cas, le moindre esprit critique; le plus petit soupçon sur la pertinence de ses propositions est perçu comme un crime de lèse-majesté, une infraction majeure à la solidarité sociale. Selon cette logique, quelques bons esprits du XVIIe siècle auraient sans doute rejeté les *Méditations* de DESCARTES pour leur préférer une gazette rédigée par un sympathique groupe d'échotiers. Selon la même logique, un projet d'établissement tiendrait ses conditions de validité de l'existence de multiples réunions de préparation plutôt que de sa cohérence propre et de l'inventivité dont il fait preuve pour faire réussir les élèves...

Cette dérive procède, en réalité, d'une confusion entre la démocratie comme système de gestion politique de la décision collective et l'illusion groupale selon laquelle un ensemble d'individus accède toujours plus vite à la vérité qu'un individu isolé, fait progresser plus rapidement la recherche des solutions pertinentes et contribue automatiquement à la promotion de tous ses membres au rang de sujets autonomes. Or la démocratie suppose précisément, si ce n'est l'existence de sujets autonomes, au moins l'effort pour les constituer comme tels. En tant que projection politique d'un principe d'égalité radicale des sujets, elle est, sans aucun doute, l'horizon possible d'une éthique universelle. Mais sans l'effort patient et sans cesse à renouveler pour créer les conditions de la constitution des individus en sujets, la démocratie risque bien de n'être qu'une pétition formelle, particulièrement estimable, mais dont rien n'empêche *a priori* les divagations vers la dictature démagogique des pairs ou les oukases technocratiques des experts. Les excès de l'Histoire sont là, en effet, pour nous rappeler que, pour peu que les circonstances s'y prêtent et que les chefs soient habiles, le consensus est acquis aux décisions les plus contestables... Mais, symétriquement, la compétence — fût-elle reconnue et honorée au plus haut niveau — n'évite pas, non plus, l'improvisation, l'aveuglement entêté, la confiscation du pouvoir par quelques élites qui se pensent habilitées à décider du bien commun... Ces dernières, d'ailleurs, nourrissent leurs convictions de leur dédain pour les errances de la masse, alors que celle-ci fortifie sa détermination en se heurtant à la suffisance de ses élites. C'est pourquoi, s'il est un défi que nous impose la modernité démocratique, c'est bien de nous tenir à égale distance des emportements groupaux et des misanthropes éclairés.

Et peut-être peut-on œuvrer précisément à cela en cherchant les conditions grâce auxquelles un groupe peut réellement devenir un lieu d'interaction entre des personnes, de production d'intelligence et de promotion de l'humain ? On découvrira alors que c'est bien l'éthique qui est au centre du politique, c'est elle, et elle seule, qui peut transformer un collectif en communauté[1]. Car l'éthique — on me pardonnera de le répéter — est cette attention obstinée aux conditions de possibilité de l'émergence des personnes, cette vigilance constante à tout ce qui dénie à quiconque la possibilité d'être véritablement sujet : or l'expert dénie bien cette possibilité chaque fois qu'il use de l'argument d'autorité, interdit l'examen et prohibe, par le statut qu'il donne à son discours, toute contestation et tout questionnement... Mais les pairs peuvent, eux aussi, dénier cette possibilité chaque fois qu'ils font taire la compétence au nom de la conformité, manipulent les phénomènes fusionnels jusqu'à bannir le droit d'exister autrement et au-dehors.

En d'autres termes, la démocratie, si elle ne veut pas demeurer purement formelle, requiert l'existence de sujets capables de s'engager lucidement et donc de se dégager de la parole séductrice comme de la pression de la masse. Et l'équipe, si elle veut cesser d'être un simple totem, requiert, elle aussi, des individus capables de collaborer en résistant aux pressions de la facilité et au danger de la complicité. L'une et l'autre requièrent, en fait, une détermination éthique fondatrice que des dispositifs peuvent venir étayer mais ne peuvent pas remplacer. On peut, sans doute, grâce à l'équipe être moins seul pour affronter l'expérience éthique mais on ne doit pas attendre d'elle qu'elle nous en dispense. Le fait même d'être soumis à des influences, placé en face de modèles positifs d'identification, ne peut supprimer l'adhésion d'une conscience au principe selon lequel elle porte la responsabilité de l'émergence de celle d'autrui. Et dans la mesure, précisément, où l'éducation, en ce qu'elle est requise par le projet démocratique lui-même, est bien le travail d'élaboration des conditions de constitution de cette conscience, il serait pour le moins paradoxal que l'on puisse songer à dispenser l'éducateur de ce qu'il cherche à susciter chez autrui.

On peut dire alors que, en matière éducative plus encore qu'ailleurs, c'est bien l'éthique qui sauve l'équipe et non l'inverse. C'est bien ma détermination éthique qui me permet — avec celle de mes pairs qui, comme la mienne, n'est jamais définitivement assurée — de faire du groupe auquel je participe une entreprise collective au service de l'humain. C'est d'ailleurs là ce qui fait la grandeur de l'éthique, lui confère son caractère irremplaçable et fondateur mais explique aussi sa terrible précarité : car il arrive que je sois seul dans un groupe à manifester cette exigence, minoritaire et ridicule, menacé de toutes parts, tenté de céder aux facilités de l'obéissance... et il est bien difficile alors de résister.

1. Sur ce point, on peut se reporter au chapitre 26 : « Du politique ».

C'est pourquoi, sans jamais dispenser quiconque d'exercer sa liberté, l'équipe peut quand même être un lieu d'exigence réciproque, une rencontre entre des personnes qui s'interdisent toute complaisance entre elles au nom même de la solidarité qui les unit : « Je forme une équipe avec toi non pas si tu excuses mes faiblesses ou me permets de les camoufler, mais si ton regard m'invite à être plus fort et ta présence à donner le meilleur de moi-même, le plus rigoureux, le plus approfondi, le plus authentique possible. Je ne forme pas une équipe avec toi si nous ne sommes pas capables de nous interpeller l'un l'autre sur toutes ces petites facilités par lesquelles nous trahissons l'homme en nous, parce que nous ne laissons pas émerger l'homme dans les autres : chaque fois qu'englués dans la médiocrité nous renonçons à l'espérance du merveilleux, chaque fois que nous privons un autre de la possibilité de se saisir de ce que nous disons, de l'examiner, de l'éprouver pour s'en défaire ou l'adopter ; chaque fois que nous nous laissons aller à la tentation d'exiger, sinon la soumission, du moins les remerciements assujettis ou les félicitations soumises pour ce que nous avons donné... En revanche, je peux former une équipe avec toi si notre travail en commun nous permet de mieux expliciter nos propos et d'en exclure le diktat et la démagogie ; si nous sommes capables de donner prise à l'autre sur ce que nous disons sans nécessairement, pour autant, lâcher prise ; si nous pouvons entendre, dans sa maladresse même, le frémissement d'un sujet qui cherche à exister en face de nous ; si nous savons prendre le risque de lui permettre de s'exprimer et assumer ensemble les dangers de l'aider dans cette entreprise... » En réalité, je forme une équipe avec d'autres quand circule entre nous cette « attente positive » qui n'est pas exigence de réciprocité marchande et dont nous avons vu qu'elle était constitutive de l'éthique en pédagogie. Qu'il y ait d'ailleurs, ici, isomorphisme entre la relation pédagogique et ce que les éducateurs tentent de vivre entre eux n'est pas pour me déplaire. Et cela, au fond, peut nous aider à avancer un peu sur une question qui doit tarauder le lecteur depuis quelques pages, celle de la « formation » de l'éducateur à l'éthique.

30

Le paradoxe de la formation

Si, comme j'ai tenté de le montrer et comme les enfants, les élèves et les adultes en formation ne cessent de nous le rappeler, ce qui fait vraiment la différence dans le travail pédagogique est bien de l'ordre de l'éthique, alors l'entreprise éducative est marquée inexorablement d'un aléatoire insupportable. Rien ne vient garantir, en effet, que, dans l'institution éducative, la rencontre adviendra et que la détermination d'un éducateur rendra possible l'émergence d'un sujet. La tentation est grande, alors, de récuser toute possibilité de formation pédagogique au nom de l'irréductibilité des choix individuels, voire de renvoyer la réussite de toute éducation à la sélection des « meilleurs éducateurs ». Dans la mesure, en effet, où le postulat de l'éducabilité, pas plus que le principe de non-réciprocité, ne relèverait d'une « compétence professionnelle » qui pourrait être « objet de formation », il vaudrait mieux s'assurer que les personnes à qui l'on confie l'éducation des enfants ont fait leurs preuves dans ce domaine... ou bien alors organiser le départ de ceux qui s'en avéreraient incapables[1]. Une telle position n'est pas, d'ailleurs, si extraordinaire qu'il n'y paraît, d'une part, parce que d'autres activités professionnelles procèdent ainsi ; d'autre part, parce que l'on sait bien que les efforts systématiques de formation person-

1. C'est K. POPPER, qui goûte peu, pourtant, les solutions radicales qui note : « J'ai constaté que seuls les êtres qui avaient un certain don, ce n'est pas à proprement parler un don intellectuel, mais un rapport intérieur avec les enfants, pouvaient être de bons maîtres. Et beaucoup d'enseignants sont en quelque sorte prisonniers de l'école, ils s'y trouvent malheureux, mais ne peuvent plus en sortir. J'ai émis une proposition toute simple : il faut faire à ces gens, qui ne sont pas plus mauvais que d'autres, des ponts d'or pour qu'ils puissent s'en aller ; et alors viendront à leur place des jeunes gens dont certains seront des pédagogues nés. » (K. LORENZ et K. POPPER, *L'avenir est ouvert*, Flammarion, 1990, page 144).
Une telle position, quoique peu exprimée est, en réalité, très largement présente dans l'opinion publique et même, parfois, parmi les experts en matière éducative, surtout quand leurs propres enfants rencontrent d'importantes difficultés scolaires. Pour ma

nelle et professionnelle peuvent, paradoxalement, verrouiller le renouvellement d'un corps, interdire de se mettre en quête de personnalités plus ouvertes et dynamiques, avoir ainsi, en dépit des apparences, une fonction conservatrice. Enfin, il faut bien avouer que, si les choix éthiques de l'éducateur pouvaient être déterminés à coup sûr par sa formation, le projet d'éduquer se mettrait en contradiction avec lui-même, abolissant chez celui qui éduque la liberté que l'on prétend précisément susciter chez celui qui est éduqué.

Pourtant, à le regarder de près, ce déni de la formation est bien effectivement intenable dans la mesure où il obture l'avenir d'un être, tranche d'avance et arbitrairement de ses choix ultérieurs, lui interdit *a priori* d'accéder à l'éthique, dans un domaine où la conversion peut être — on le sait bien — tardive et fulgurante, là où, plus encore qu'ailleurs sans doute, on n'a pas le droit de désespérer de quiconque.

Nous voici donc, sans doute, en face d'une des apories les plus critiques de la réflexion éducative : il nous faut, en effet, à la fois revendiquer, pour l'éducateur, la liberté radicale de ses options éthiques et, pour dégager le projet d'éduquer de l'aléatoire et du dérisoire, imaginer qu'il existe des méthodes qui, en formation, sont susceptibles, non de contraindre mais de favoriser ces choix[2].

---

part, elle me paraît, à la fois, relativement opportune, en ce qu'elle attire l'attention sur le fait que la « compétence » d'un enseignant ne se limite pas à la combinaison de connaissances académiques et de notions de didactique, et particulièrement dangereuse en ce qu'elle renvoie la « qualité pédagogique » à l'inné, ce qui est précisément en contradiction avec le projet d'éduquer.

2. Ce n'est pas le lieu, ici, de décrire ces méthodes. J'ai tenté ailleurs d'en identifier quelques-unes (*Enseigner, scénario pour un métier nouveau*, 3e édition, ESF éditeur, Paris, 1990), en montrant, en particulier, l'importance des dispositifs qui tentent de mettre en place, sur un plan interpersonnel, des capacités dont on vise, à terme, la maîtrise intrapersonnelle. Je rejoins là les conceptions, déjà évoquées, de VYGOTSKY, selon lesquelles toute fonction psychique apparaît deux fois dans l'histoire d'un individu : une première fois quand il est capable d'effectuer une opération accompagné de toute une série d'aides, et une deuxième fois quand il peut l'effectuer seul et à sa propre initiative. En matière de formation des maîtres, ce principe peut s'incarner dans ce que j'ai appelé le « triangle formatif » : si l'on considère, en effet, que la capacité d'enseigner requiert la possibilité d'agir en prenant en compte les informations émanant de trois points de vue — le point de vue du concepteur, le point de vue de l'apprenant et le point de vue de l'observateur-régulateur —, on peut organiser un dispositif de formation dans lequel, par un système de rotation des tâches, chacun puisse se situer, s'exercer, intérioriser et mettre en interaction les trois points de vue. Cette méthode peut ainsi rendre possible — en ce qu'elle met, en quelque sorte, « en théâtre » la tension inhérente à tout projet éducatif — l'émergence du choix éthique. « Rendre pos-

En réalité, le défi qui se présente ici à nous n'est pas très différent du défi éducatif lui-même. Comme l'éducateur, le formateur de maîtres doit s'obstiner à inventer des moyens pour diffuser, propager et convaincre autrui du bien-fondé des choix éthiques qu'il lui souhaite voir faire. Mais, comme l'éducateur, le formateur doit accepter, promouvoir même, l'irruption d'une liberté subversive dont le contrôle, sous quelque forme que ce soit, supprimerait toute cohérence à son entreprise. Il peut alors espérer que ce qui a été éprouvé, ce dont le sujet a fait l'expérience en formation, induira chez lui des changements qui se répercuteront sur son activité d'éducateur. Il peut parier sur une « réaction en chaîne » ; l'espérer et la craindre, indissociablement. L'espérer car rien de mieux ne peut advenir que la détermination éthique chez autrui ; la craindre car cette détermination est signe de l'émergence d'une liberté, d'une liberté qui peut, précisément, le remettre en cause. C'est pourquoi tout espoir formatif qui n'est pas aussi inquiétude du débordement est toujours menacé de récupération démiurgique.

Et nombreuses sont les formes de récupération : récupération institutionnelle par celui qui détient les clés d'un emploi futur ; récupération idéologique quand on désigne la frontière au-delà de laquelle l'opposition se fait trahison ; récupération psychologique par celui qui sait montrer du doigt le bouc émissaire plausible ; récupération à la séduction physique ou intellectuelle, quand on parvient à faire passer

---

sible » mais non « contraindre à » : car il ne va pas de soi de transformer le « souci de soi » quand on est dans une position de formé en « souci de l'autre » quand on est dans une position de formateur. Le premier peut aider au second mais non l'engager de manière mécanique.
Par ailleurs, je n'avais pas évoqué jusqu'ici une « méthode » de formation des maîtres qui, il y a un siècle, serait apparue bien banale mais qui, aujourd'hui, semblera vraisemblablement assez iconoclaste. Je me demande, en effet, si la fréquentation de la littérature, du théâtre et du cinéma, en particulier de quelques œuvres majeures où l'on peut voir à l'œuvre le projet d'éduquer, n'est pas susceptible de développer cette capacité d'imaginer la joie, la souffrance et la liberté de l'autre, qui représente un point d'appui précieux à l'exercice du choix éthique. Plus précisément, j'ai tendance à penser que l'éducateur, fasciné par la grandeur de sa « mission culturelle » en vient parfois à perdre cette « compassion », pourtant si nécessaire, pour l'enfant ou l'homme concrets se débattant dans des difficultés qui ne peuvent jamais être tenues pour négligeables. Pour faire pièce à cette tentation, la possibilité de mettre des mots et d'évoquer des images représentant précisément l'autre et ses difficultés à être, est, peut-être, un moyen parmi d'autres... Un moyen assez proche du dispositif formatif évoqué ci-dessus : car il s'agit toujours, au fond, de développer la capacité chez l'éducateur à anticiper le Sujet de son éducation.

la déviation pour une faute de goût, une erreur de jugement ou un manque de lucidité ; récupération plus subtile encore quand le formateur parvient à prendre la tête de la rébellion, voire à organiser l'opposition pour rattraper ensuite l'allégeance par sympathie ou compassion vis-à-vis de l'agressé.

Bien sûr, on peut tenter de se prémunir contre de telles velléités en multipliant les occasions de concertation ou de régulation, en favorisant la prise de parole de tous, en passant au crible, le plus souvent possible, avec les formés, le déroulement et les dispositifs de la formation. Et il est vrai que la mise en place de tels « espaces de jeu » peut être utile, à condition de ne pas dériver vers un narcissisme collectif où le groupe constitue son unité dans une parlerie fusionnelle chargée de lui donner le sentiment de son importance, de le placer au centre de toutes les préoccupations et de bannir, autant que faire se peut, les forces centrifuges susceptibles de compromettre son existence. On sait bien aussi que ces « cadres vides » où le formateur paraît abandonner le pouvoir peuvent devenir des occasions privilégiées de manipulation grâce au sentiment de liberté qu'ils font partager aux formés et qui sont, en réalité, chargés de s'assurer de leur docilité[3]. On sait, enfin, que, quand le formateur abandonne le pouvoir, rien ne garantit vraiment contre la récupération de ce pouvoir par un leader issu du groupe et dont l'absence de statut institutionnel suscite parfois, malheureusement, une égale absence de scrupules.

En réalité, l'existence d'un « espace de jeu » ne représente une occasion possible pour l'émergence d'un sujet et son accession à la détermination éthique que dans la mesure où elle ne fonctionne pas comme une parenthèse ludique ou une « soupape de sûreté », mais où elle s'inscrit dans une démarche globale de formation qui s'efforce de faire de la personne le sujet de ses apprentissages : il s'agit donc bien ici, encore, de travailler à partir des problèmes que l'on rencontre ou

---

3. Les psychologues sociaux ont bien montré que la capacité de manipuler quelqu'un était liée à la possibilité de lui donner le sentiment qu'il agit librement dans l'instant même où il ne fait que se soumettre au pouvoir du manipulateur. Parmi les procédés de manipulation que décrivent R. V. JOULE et J. L. BEAUVOIS dans leur *Petit traité de manipulation à l'usage des honnêtes gens* (PUG, Grenoble, 1988) le plus connu est l'« escalade d'engagement » : elle permet d'obtenir quelque chose de quelqu'un en commençant par lui demander une chose insignifiante qu'il ne peut refuser et en augmentant progressivement l'importance de la demande ; on observe alors que l'individu fait ce que l'on espérait, vraisemblablement pour ne pas se déjuger à ses propres yeux et en ayant le sentiment d'être fidèle à sa décision première... le sentiment de liberté paralyse ainsi la volonté.

suscite, de s'interroger sur les conditions possibles de transfert des solutions et d'introduire des procédures métacognitives. Dans cet ensemble que l'on voudrait isomorphe à ce que l'on attend du formé quand il se trouvera en situation d'enseigner, c'est bien alors la position éthique du formateur qui assurera la cohérence et permettra vraiment à l'entreprise formative de prendre corps. C'est sa capacité à tenir ensemble le pari de l'éducabilité et le principe de non-réciprocité qui évitera que ses propositions ne se réduisent à une juxtaposition habile de dispositifs ; c'est elle qui impulsera une dynamique véritable et permettra que se vive une aventure véritable entre des personnes ; c'est grâce à elle que l'on découvrira peut-être la force d'une option dont on a éprouvé sur soi les effets, dont on connaît maintenant le sens, mais que rien ni personne ne pourra imposer à qui que ce soit sans la dénaturer complètement.

C'est ainsi qu'il ne peut y avoir d'automatisme qui garantisse que le choix éthique d'un formateur se répercute sur les formés. Tout ici échappe à la mécanique et au rêve d'un engrenage miraculeux où le mouvement de l'un déclencherait le mouvement de l'autre. L'éthique n'opère que par la médiation toujours imparfaite du didactique, quand le didactique se laisse investir par le sujet apprenant, quand son concepteur lui-même s'en trouve en quelque sorte dépossédé, quand il accepte et promeut cette dépossession, sans pour autant en jouir dans un apitoiement narcissique. La croyance en une transmission éthique de sujet à sujet, sans la médiation d'un travail sur l'objet, relève, en effet, me semble-t-il, d'une grave illusion : car on ne peut surgir qu'en se dégageant et on ne peut se dégager que de quelque chose, en s'appuyant sur quelque chose qui résiste à la captation subjective par le formateur et permet au formé de dire, lui aussi, « je ».

C'est pourquoi l'éthique n'est pas, au sens propre « objet de formation » ; c'est pourquoi la formation, néanmoins, dans sa démarche même, doit être éminemment éthique.

31

La preuve et le signe

De toutes parts on nous presse d'évaluer. Et, effectivement, on ne voit pas pourquoi le système éducatif resterait totalement à l'abri de la pression sociale et de l'obligation de résultat. Qui pourrait comprendre, en effet, que certains acteurs sociaux, ceux dont l'importance est précisément la plus déterminante pour notre avenir, restent à l'abri de toute interrogation sur les effets qu'ils produisent ? Qui pourrait accepter que certains professionnels, dont le métier requiert des compétences scientifiques et didactiques de plus en plus importantes, échappent à tout contrôle et à toute sanction ? Les priver de leur responsabilité pourrait apparaître, pour les uns, comme une forme de mépris, alors que d'autres y verraient le privilège de l'impunité.

Certes, on a beau jeu de souligner à quel point les outils d'évaluation des pratiques éducatives sont contestables : ainsi, quand on exhibe des résultats d'examen sans mentionner les conditions d'entrée dans le cursus ni indiquer la proportion de ceux qui l'achèvent dans le temps prévu, on fournit des chiffres absolument insignifiants. De même, quand on considère que tout enseignant doit systématiquement reproduire, dans la répartition de ses notes, la courbe de Gauss, on sous-entend un peu imprudemment que tout groupe humain comporte une minorité d'élite, une majorité de médiocres et une minorité d'incapables... on le sous-entend au point même de reconstituer systématiquement cette répartition : toutes les expériences montrent, en effet, que si l'on confie à des enseignants une classe constituée exclusivement d'excellents élèves, un tiers de ceux-ci se retrouvent immanquablement au-dessous de 8/20 après un trimestre de « travail ». Et l'on pourrait multiplier les exemples de ce type : quand, en dépit des mises en garde anciennes et incessantes des docimologues, on continue de calculer des moyennes avec des notes d'exercices absolument hétérogènes, on produit des résultats dont l'absurdité n'est tempérée — mais est-ce une excuse ? — que parce que tout le monde est soumis au même traitement... Quand on récuse l'existence du moindre critère d'évaluation d'une dissertation et qu'on prétend bénéficier d'un droit régalien d'user de sa subjectivité sans réserve, on marque certainement un mépris pour ceux que l'on prétend éduquer... surtout quand, par ailleurs, on développe avec conviction la nécessité de la rigueur et le caractère fondateur, dans la communication, de l'argumentation rationnelle.

Il y a donc, dans le domaine éducatif, un travail considérable à faire sur l'évaluation afin d'en améliorer les méthodologies, d'en affiner les procédures et surtout de comprendre le sens de ce que l'on est en train de faire quand on prétend évaluer. Cela devrait permettre, d'ailleurs, de clarifier par là nos objectifs et nos finalités, afin d'être plus lucides dans nos jugements et plus pertinents dans nos actions[1].

Il reste que, en matière d'éducation, toute évaluation risque bien de reposer sur un malentendu fondamental puisque l'on n'évalue toujours que des résultats alors que l'on cherche à éduquer des hommes, c'est-à-dire à construire des sujets libres. Non que les résultats des travaux que l'on demande, les comportements que l'on contribue à mettre en place, les modifications d'attitudes que l'on observe ne soient pas de précieux indicateurs et ne permettent pas d'inférer de la constitution de capacités essentielles à l'émergence de l'humain, mais parce qu'entre tout ce que l'on peut ainsi identifier — et qui renvoie toujours à l'appréciation d'une plus ou moins grande conformité par rapport aux attentes de l'éducateur — et l'irruption d'une liberté, il y a un saut qualitatif irréductible, une rupture radicale que l'on ne peut ignorer.

Car, si l'évaluation est susceptible de témoigner de la plus ou moins grande réussite de l'entreprise de conformisation sociale qui constitue — comme j'ai tenté de le montrer — un versant essentiel de l'éducation, elle laisse inéluctablement échapper l'autre versant, l'émergence de la liberté. Si je peux, en effet, obtenir des preuves de ma réussite en mesurant la diminution, voire la disparition, de l'écart à la norme sociale et scolaire, je ne peux qu'espérer un signe, souvent maladroit, toujours fugitif et discret, quand il s'agit de l'arrivée d'une personne. En tant qu'elle est, pour moi, une preuve de mon efficacité

1. C'est le grand mérite du livre de C. HADJI que d'approcher l'évaluation de manière philosophique, récusant toute interprétation objectiviste et affirmant qu'évaluer ce n'est pas « peser » un objet, mais c'est le comparer à « un objet idéal » qui, lui-même, renvoie à des finalités implicites ou explicites (*L'évaluation, règles du jeu*, 2e édition ESF éditeur, Paris, 1990).

sociale, l'évolution de l'autre fait de lui mon objet ; en tant que j'attends de lui, mais sans le quémander ni, *a fortiori*, l'exiger, un signe de son existence je le reconnais en tant que sujet... Plus encore, puisque je me reconnais aussi par là comme quelqu'un capable de recevoir ce signe — même s'il ne m'est pas explicitement adressé — je nous reconnais ensemble comme sujets, je reconnais notre relation comme humaine et nos échanges comme faisant sens.

Et pourtant un signe est souvent ténu, presque toujours hésitant, retenu, accompagné même, parfois, d'une dénégation immédiate, comme une rétractation, mais qui est, en réalité, la marque de l'importance que l'on attribue au geste, du caractère presque sacré de cette liberté qui arrive doucement ou violemment, mais à laquelle on hésite à croire. Le signe n'est pas bavard et se contente volontiers d'une inflexion de voix ; le signe vient quand on ne l'attend pas et joue volontiers l'effet de surprise ; le signe désarme la colère car il est porteur d'une reconnaissance sereine de l'autre et de soi : « Je te reconnais et je te respecte ; peut-être même ai-je pour toi cette tendresse discrète que mérite ton authenticité ; je sais que tu veux « mon bien », mais j'ai choisi autre chose que ce que tu avais décidé pour moi. Peut-être tenterai-je, à mon tour, de te convaincre ? Mais ce que je veux que tu saches c'est que maintenant je m'appartiens comme tu t'appartiens et que l'humanité, par cela, en est élargie. »

Le signe c'est cette infractuosité dans le quotidien, quand un « tu » échappe à l'habitude du vouvoiement... ou bien l'inverse ; quand une objection vient aux lèvres sans agressivité et comme dans le prolongement de la « transmission » ; mais c'est aussi quand une agression monte au visage sans toujours être nourrie d'un solide argumentaire et qu'elle parvient, pourtant, à dégager, pour celui qui parle, une petite place ; c'est, enfin, quand la révolte gronde, que le refus s'installe sous des dehors de fermeté pour mieux cacher à quel point on est vulnérable et on aimerait bien que l'on nous tende une perche.

Et c'est bien en raison de leur grande diversité que ces signes ne sont pas toujours repérables, qu'ils requièrent attention et ouverture à ce que certains interpréteraient peut-être comme des manifestations intolérables d'indiscipline ou d'anormalité. La perception du signe exige cette ouverture constante à l'Autre parce qu'on ne sait jamais quand il va venir et qu'à le chercher ou le provoquer on le rate immanquablement. L'éducateur peut-il décider du moment où l'Autre fera usage de sa liberté sans s'enfermer dans un paradoxe insurmontable ? Il peut, tout au plus, créer les conditions qui favorisent cette émergence et l'accueillir, sans satisfaction ostentatoire, avec la joie discrète de celui qui a été le témoin d'un événement extraordinaire. Le témoin mais pas l'artisan. Car, à se revendiquer l'auteur de l'émancipation d'autrui, on la lui confisque immanquablement.

Il faut donc se résigner à ce que nous ne sachions rien de ce qui se passe véritablement en l'autre et renoncer, dans ce domaine, à toute velléité inquisitrice. Bizarrement, en éducation, nous pouvons patiemment apprendre à lire l'arrivée de l'humain tout en nous efforçant de la rendre possible, mais sans jamais établir de corrélation certaine entre nos actes et ceux d'autrui. C'est sans doute ce qui donne au « signe de l'homme », quand il paraît, son caractère miraculeux : il ne marque pas l'absence de cause ou la manifestation d'une cause lointaine ou divine, il marque le caractère indécidable de la cause et l'opacité incontournable de la conscience d'autrui. Voir toujours dans la réussite éducative une sorte de miracle, ce n'est pas renoncer à agir pour y contribuer, c'est accepter de ne pas savoir la part qu'y a prise notre action, sans, pour autant, en être démobilisé. C'est accepter l'existence de la conscience comme autre chose que comme un engrenage dont le résultat pourrait être déterminé à l'avance à la considération des forces qui s'exercent sur elle. C'est anticiper une liberté sans être sûr de la faire advenir. C'est présupposer un sujet, parier sur l'humain dans l'homme, l'espérer de toutes ses forces comme si — mais, encore une fois, seulement « comme si » — notre espérance pouvait forcer le destin.

Au regard d'un tel enjeu, les efforts pour introduire plus de rigueur dans l'évaluation, quand ils se traduisent par des pondérations de notes, des listes de critères ou d'indicateurs, la mise en place de référentiels, peuvent alors apparaître dérisoires. Et le risque existe, à ce moment-là, que l'on abandonne — voire que l'on discrédite — la recherche des preuves pour s'en tenir exclusivement à l'attention aux signes. Le risque existe que l'on oppose à toute demande d'évaluation l'objection de l'ineffable, que l'on récuse toute interrogation sur son efficacité sociale. Mais ce serait mal comprendre l'entreprise éducative ; ce serait croire que le projet d'instrumentation sociale n'a pas de légitimité en lui-même ou que son échec est requis pour que réussisse le projet d'émanciper. Or, je n'ai jamais dit cela : j'ai parlé de « mise en échec » et non d'« échec », ce qui n'est pas du tout la même chose. Car la « mise en échec » suppose, d'une manière ou d'une autre, la réussite antérieure ; l'adhésion ou la récusation supposent la compréhension des enjeux ; l'émancipation suppose de pouvoir rompre, et pouvoir rompre suppose l'intelligence de la situation et la capacité de se projeter dans le futur.

On a donc raison de vouloir évaluer nos résultats et personne ne peut nous reprocher de rechercher les preuves de notre efficacité sociale. On a tort, en revanche, de vouloir faire parler nos résultats de ce dont ils ne parlent pas ; et l'on a surtout tort d'en oublier l'attention aux signes qui subvertissent le rapport d'inculcation en ouvrant, subrepticement, la possibilité d'une rencontre[2].

2. On se souvient de l'émouvante histoire de Guillou racontée par F. MAURIAC dans *Le sagouin* (Presses-Pocket, Paris, 1977). Rejeté par une mère qui ne voit en lui que le portrait d'un mari honni, Guillou, pourtant fils d'aristocrate, est confié à l'instituteur laïc, M. Bordas. Celui-ci l'accueille pour quelque trouble raison et le cantonne d'abord dans des tâches ménagères. Un jour, devant la bibliothèque du fils de l'instituteur parti effectuer de brillantes études, Guillou manifeste de l'intérêt pour un livre, *L'île mystérieuse*, et évoque une page où le héros Cyrus Smith découvre un homme abandonné dans une île voisine : « C'est si beau lorsque Cyrus Smith lui dit : "Tu es un homme puisque tu pleures" » (page 102). La rencontre, alors, peut advenir ; elle affleure. Mais F. MAURIAC note : « L'instituteur recula un peu sa chaise ; il aurait pu, il aurait dû s'émerveiller d'entendre cette voix fervente de l'enfant qui passait pour un idiot, (...) mais il n'entendait l'enfant qu'à travers son propre tumulte » (pages 104 et 105). C'est que la rencontre suppose la capacité de faire taire en soi les voix de ses ambitions et de ses soucis, aussi légitimes soient-elles. La rencontre suppose cette aptitude au silence qui, loin d'être le vide, est disponibilité et accueil. Dans le silence je ne renie rien de ce que je suis ; je ne renonce pas à le dire ; je sursois simplement un moment à l'imposer. Et, sans doute, ne parvenons-nous véritablement à cette ouverture radicale à l'extériorité que dans quelques instants de grâce... mais qui suffisent, je crois, en dépit de leur fugacité, à légitimer l'effort incessant pour y accéder.

32

Histoires

Il est vraisemblable qu'aucun domaine plus que l'éducation ne comporte un usage aussi systématique de la pensée disjonctive. On y excelle dans le maniement des oppositions et les traités savants comme les conversations mondaines les utilisent avec virtuosité. Ainsi oppose-t-on l'affectif et le cognitif, l'intellectuel et le manuel, le littéraire et le scientifique, la culture générale et la formation professionnelle, la pédagogie et la didactique, la prise en compte des processus d'apprentissage et la centration sur les savoirs à transmettre, l'éducation et l'instruction...

J'aurais moi-même mauvaise grâce à critiquer ce penchant pour les couples antithétiques puisque, si je me suis efforcé de ne point reprendre à mon compte les plus éculés, je n'en ai pas moins, très largement, usé de la méthode. C'est que la pensée se saisit facilement d'un système binaire et aime à pratiquer cette computation intellectuelle qui lui fait traiter de tout en termes de « ou bien... ou bien... ». En fait, elle procède là, sans doute, à un abus de pouvoir ou, plus exactement, s'imagine que les facilités de son propre fonctionnement peuvent être projetées sur la réalité jusqu'à réduire celle-ci à celui-là. Car il est vrai que l'intelligence s'approprie plus aisément un concept en l'opposant à un autre, une notion en la faisant jouer avec son contraire. Elle commence en cherchant les attributs qui lui sont spécifiques et que l'on ne doit pas, par conséquent, trouver dans une autre ; et elle poursuit en ontologisant en quelque sorte l'attribution de telle manière que tout apparaisse, à ses yeux, magnifiquement clair : ainsi peut-on penser, par exemple, que puisque l'affectif se manifeste par l'expression des sentiments et le cognitif par l'exercice de la raison, il n'y a aucun sentiment dans le cognitif et aucune parcelle de rationalité dans l'affectivité. Le glissement est facile et tout à fait efficace quand on se donne pour objectif d'emporter l'adhésion par le schématisme de la formulation. L'esthétique des équilibres phagocyte toute autre préoccupation et procure d'étonnantes satisfactions... Mais qui pourrait prétendre que l'usage de la raison ne mobilise aucun affect ou que, pour le destin de l'humanité, la compassion n'est pas un sentiment raisonnablement nécessaire ? Et pourquoi en serait-il autrement dans le registre des apprentissages ? Un savoir-faire manuel n'est-il pas nécessairement corrélé à des schémas intellectuels permettant d'en coordonner et d'en adapter la mise en œuvre ? La maîtrise d'une technologie sophistiquée ne requiert-elle pas une certaine sensibilité pour en saisir le sens et déceler les indices nécessaires à l'intelligence de son fonctionnement ? La réflexion didactique sur les méthodes, requise par la mise en œuvre systématique d'apprentissages dans le domaine scolaire, peut-elle se suffire à elle-même et récuser les interrogations pédagogiques sur les finalités de ces apprentissages, les valeurs dont ils sont porteurs et les attitudes qui peuvent être en cohérence avec elles ? Et la question des finalités a-t-elle du sens en dehors des choix de contenus qui les incarnent et contribuent à leur réalisation ?

Mais, dira-t-on, il faut bien, dans l'action, prendre des décisions et, pour cela, privilégier telle ou telle approche. On ne peut intervenir sur tout ni surseoir éternellement à des choix sous prétexte de ne pas entériner d'artificielles distinctions. La décision brusque la réflexion et suspend les arguties formalistes ; qu'on le veuille ou non, agir c'est choisir.

Certes, la stratégie a ses exigences. Mais, dans les entreprises humaines, il n'est pas sûr qu'une pensée purement stratégique ne soit pas particulièrement perverse. On peut légitimement affecter des priorités à l'action mais on ne peut décider de réduire le réel à ce sur quoi l'on décide d'agir. Ainsi a-t-on le droit de juger, à un moment donné, qu'il est opportun d'insister sur la dimension cognitive dans l'apprentissage, de revaloriser les activités manuelles ou bien de développer la recherche en matière didactique... Mais peut-on, pour autant, décréter la diminution de la part de l'affectivité dans les activités humaines, l'inutilité de la réflexion littéraire ou philosophique, l'inexistence du facteur relationnel dans les rapports maître-élèves ? Est-on condamné à faire varier perpétuellement les choses en sens inverse alors que, par ailleurs, nous sentons bien que c'est la plénitude qu'il nous faut viser. La plénitude et non la complétude qui supposerait, elle, un espace clos et circonscrit dans lequel chaque élément ne pourrait exister qu'en prenant la place d'un autre. La plénitude comme horizon d'un développement où les acquis soient autant de points d'appui pour des dynamiques nouvelles. La plénitude comme utopie fondatrice, non d'un consensus mou, ni d'une réconciliation factice, mais d'une historicité difficile... de la vie en quelque sorte[1].

1. C'est E. MORIN qui souligne que « nous pouvons commencer à voir où se situe le vice du principe de pensée à quoi nous obéissons et qui commande notre vision du

Il nous faut quitter, en effet, le mythe manichéen de la pensée paresseuse, quitter les oppositions systématiques et rassurantes, sources de toutes les séparations et de tous les déchirements qui compromettent l'humain. Quitter le mythe pour l'histoire, abandonner le balancement binaire pour faire un pas, puis un autre, ébaucher un geste imprévu, laisser l'empreinte hésitante d'un homme. Il nous faut faire notre deuil du béton conceptuel pour accepter la fragilité de notre destin, les paradoxes qui nous constituent, les contradictions qui nous traversent. Car ce qui peut nous sauver c'est l'abandon du « tout ou rien », du « ou bien... ou bien... », du « c'est à prendre ou à laisser », du « c'est pas moi c'est l'autre ». Ce qui peut nous sauver, c'est notre détermination à faire exister ensemble tout ce qui grandit l'homme et à accepter, en même temps, l'extrême fragilité de notre démarche.

Entre la preuve et le signe nous n'avons donc pas à choisir ; mais avec la preuve et le signe, en assumant à la fois la recherche de notre efficacité d'instrumentateur et la quête de l'émergence des sujets, nous pouvons tenter d'inscrire, dans les institutions éducatives, l'histoire d'une éducation[2]. Une histoire complexe où la volonté légitime de maîtriser vient buter sur notre souci d'émanciper. Une histoire que l'on ne

---

monde. Ce principe de pensée est dissociatif/disjonctif, réducteur/unidimensionnel. Il est dissociatif/disjonctif dans la mesure où il dissocie et disjoint ce qui doit être, certes, distingué et opposé, mais est aussi inséparable, complémentaire : l'ordre et le désordre, le déterminisme et la liberté, la répétition et l'innovation, le mythe et la réalité sociale, l'unité et le conflit, l'harmonie et la discorde, l'autonomie et la dépendance, l'objet et le sujet » (*Pour sortir du XXe siècle*, Seuil, Collection « Points », 1981, page 121).
Et il propose une pensée dialogique qui nous conduise à envisager concrètement les choses à la fois dans leur opposition et leur distinction. C'est, sans doute, l'acceptation de cette dialogique qui nous permet de rester dans l'« histoire » et d'échapper à tous les totalitarismes qui, avec l'abolition d'une polarité au profit d'une autre, prétendent réaliser sa fin (page 342).

2. Ainsi Y. Prigent, dans un beau livre intitulé *L'existence amoureuse, la passion et la durée* (Desclée de Brouwer, Paris, 1990), explique-t-il que l'amour ne survit que dans la mesure où il sait se faire « histoire », c'est-à-dire échapper aux simples « oscillations pendulaires entre Psyché et Eros » semblables aux balancements « interminables et répétitifs dont sont affligés ces êtres humains sans histoire que sont les grands malades de l'esprit » (page 96). Il s'agit bien, au contraire, de « l'alternance dynamique d'une démarche humaine qui s'avance au long de son histoire, autant que le fleuve dans les champs et les plaines, autant que le récit dans les méandres successifs d'un roman » (page 96).
Et il montre que l'humanité véritable est narration, qu'elle se constitue dans l'écriture d'une histoire qui échappe aux alternatives simplificatrices, qui renonce aux schématismes du tout ou rien pour inscrire une trace fragile dans l'espace et dans le temps...
« L'histoire, c'est-à-dire le destin changeant et brûlant, en perpétuel antagonisme entre

peut écrire que patiemment, en acceptant les lenteurs inévitables, les passages à vide où l'on est tenté de désespérer de soi et des autres, les moments où tout paraît s'emballer, ceux où la satisfaction risque de nous anesthésier, comme ceux où l'apitoiement sur nous-même menace de nous faire basculer dans le narcissisme. Une histoire dont la richesse tient, pour l'essentiel, à notre capacité de rebondissement, étrange synthèse d'obstination et d'imagination, de ténacité et d'ingéniosité, qui nous empêche de nous enkyster, nous permet de nous relever quand nous sommes à terre, de négocier les détours nécessaires et de saisir les occasions où tout peut encore se rejouer.

Ainsi va le pédagogue, homme de technique et d'éthique à la fois, exhibant des preuves quand l'institution le lui demande, mais sans illusion sur leur signification ni sur la nature de la satisfaction qu'il en ressent, épiant les signes d'une liberté qui s'ébauche et se méfiant de toutes les récupérations dont il est lui-même capable. S'efforçant de faire de la conformisation dont il est l'agent une émancipation dont il ne peut être qu'un partenaire. Interrogeant sans cesse, pour cela, la culture qu'il transmet sur son caractère libérateur, c'est-à-dire sur la possibilité qu'elle offre de se comprendre dans le monde, de transférer ses acquis dans d'autres situations et d'agir de sa propre initiative. Questionnant obstinément les méthodes qu'il emploie sur la maîtrise progressive que l'apprenant peut en avoir, la manière dont il peut les piloter lui-même et s'en dégager si nécessaire.

Car vivre l'éducation comme une histoire, toujours à écrire, entre des êtres ne nous oblige nullement à renoncer à aucune de ses dimensions, ni au caractère professionnel du métier d'éducateur, ni à sa portée sociale et politique, ni, *a fortiori*, à sa dimension éthique. Cela nous impose, en revanche, d'apprendre à pactiser avec le temps, à travailler avec les personnes dans le temps, à travailler le temps. Et peut-être est-ce parce que je suis moi-même si impatient que je place la patience si haut sur l'échelle des « vertus éducatives ». Non point la patience du compromis ou de la démission, mais cette patience active et attentive, tentant toujours d'être inventive, mesurant la modestie de ses initiatives et ne désespérant, pourtant, jamais du miracle.

---

soi et l'autre, s'impose à tout homme et pourtant il s'y oppose souvent selon les suggestions insistantes de la pulsion de mort. Sous l'effet de Thanatos il cherchera plutôt le calme plat, la béatitude, l'immobilité glacée et sereine des gisants ? Ainsi se révèle, derrière la peur de l'histoire, c'est-à-dire du changement, du feu et de l'antagonisme, le visage de pierre de la pulsion de mort » (page 110).

Ainsi va l'action pédagogique, dans la précarité de l'humain et l'espérance de sa contagion. Tenaillée par des exigences contradictoires et néanmoins aussi nécessaires les unes que les autres. Tendue vers la plénitude mais en acceptant la finitude, tentant chaque fois une aventure nouvelle sans jamais disposer de la certitude de son aboutissement.

Envoi

Le moindre geste

Sans aucun doute y a-t-il dans l'entreprise éducative une dimension particulière qui tient au fait que celui sur qui elle s'exerce n'est pas en mesure — au moins initialement — de juger de sa légitimité. Cela confère à l'interrogation éthique en éducation un caractère radical et inévitablement réitératif.

On peut, en effet, imaginer que, dans le domaine politique, l'on parvienne progressivement à mettre en place des systèmes régulateurs susceptibles de pallier les excès des pouvoirs en place. On doit même espérer que, tant bien que mal, le pouvoir émane de plus en plus de la volonté collective, pour autant, précisément, que l'éducation soit capable de susciter la citoyenneté.

Mais, parce que le sujet de l'éducation accède au monde totalement démuni et qu'il reste longtemps vulnérable à la menace et à la démagogie, personne d'autre que l'éducateur lui-même ne peut venir interroger la légitimité de son pouvoir. Certes, les institutions ont construit quelques digues pour préserver l'enfant des abus de pouvoir de tous ceux qui se voudraient ses maîtres : la discipline traditionnelle, en ce qu'elle impose la distance entre les partenaires et borne le temps de leur face à face, peut paraître, parfois, jouer ce rôle... Mais on sait bien que ses cadres formels peuvent laisser libre cours, derrière une façade de respectabilité, aux plus terribles captations. C'est pourquoi l'introduction d'un « objet-tiers » dans la relation pédagogique et le travail en commun sur les règles de fonctionnement du groupe, sont susceptibles, plus sûrement, de réguler les investissements personnels en imposant la confrontation avec un référent. C'est pourquoi, aussi, le fait de penser les savoirs en référence à des problèmes, d'intégrer dans l'enseignement la réflexion sur les conditions de leur transfert, d'aider chacun à découvrir ses stratégies d'apprentissage, représente un pas décisif pour aller vers une éducation véritablement émancipatrice.

Mais la détermination même à utiliser de telles méthodes pédagogiques est évidemment subordonnée à la décision de l'éducateur de faire de l'émergence de l'Autre l'épreuve ultime de sa propre responsabilité. Autant dire que rien ni personne ne peut lui épargner le choix éthique et qu'il faut que chacun refasse le chemin, tout le chemin. Autant dire aussi que ce choix n'a jamais de caractère institué et que le fait de l'avoir fait ne peut dispenser quiconque d'avoir à le refaire. Autant dire, enfin, que ce choix ne requiert aucun « apprentissage pédagogique » puisqu'il les conditionne tous et qu'il a la radicalité de tous les commencements... « Pour commencer, explique V. JANKELEVITCH, il faut commencer, et on n'apprend pas à commencer. Pour commencer, il faut simplement du courage »[1].

Un courage qui fuit toute manifestation ostentatoire, qui s'inquiète de sa fragilité, détourne le regard quand on l'honore tant il connaît la difficulté à ne pas trahir. Un courage qui s'incarne dans le moindre geste, le plus petit regard, l'inflexion d'une voix qui hésite de peur de blesser, d'aller trop loin, d'en dire trop et de ne pas laisser la parole à l'Autre. Car le choix éthique est de tous les lieux et de tous les instants. D'ici même et de maintenant quand, d'une manière qu'il voudrait la moins affectée possible, l'auteur s'efface pour laisser place au lecteur.

1. V. JANKELEVITCH s'exprime ainsi dans un hommage à H. BERGSON, « Avec l'âme toute entière » (*Bulletin de la Société Française de Philosophie*, 1960, 54, 1, page 61).

Bibliographie

ALAIN, *Propos 2*, Gallimard, Collection « La Pléiade », Paris, 1970.

ARDOINO J., *Propos actuels sur l'éducation*, Gauthiers-Villars, Paris, 1971.

ARENDT H., *La crise de la culture*, Gallimard, Paris, 1972.

ASTOLFI J.-P. et DEVELAY M., *La didactique des sciences*, PUF, collection « Que-sais-je ? », Paris, 1989.

Saint AUGUSTIN, *Les confessions*, Garnier-Flammarion, Paris, 1976.

Saint AUGUSTIN, *De Magistro*, Klincksieck, Paris, 1988.

BAIETTO M.-C., *Le désir d'enseigner*, ESF, Paris, 1982.

BALION R., *Les consommateurs d'école*, Stock, Paris, 1982.

BARBIANA (les enfants de), *Lettre à une maîtresse d'école*, Mercure de France, Paris, 1968.

BAUDRILLARD J., *La transparence du mal*, Galilée, Paris, 1990.

BEILLEROT J., *Voies et voix de la formation*, Editions universitaires, Paris, 1988.

BERBAUM J., *Développer la capacité d'apprendre*, ESF éditeur, collection « Pédagogies », Paris, 1991.

BERGSON H., *Essai sur les données immédiates de la conscience*, PUF, collection « Quadrige », Paris 1986.

BIGEAULT J.-P., TERRIER G., *L'illusion psychanalytique en éducation*, PUF, Paris, 1978.

BION W.-R., *Recherches sur les petits groupes*, PUF, Paris, 1976.

BROUSSEAU G., *Les objets de la didactique des mathématiques*, Actes de la 2e Ecole d'été de didactique des mathématiques, IREM d'Orléans, 1982.

CASTORIADIS C., *Le monde morcelé, Les carrefours du labyrinthe III,* Le Seuil, Paris, 1990.

CEPEC, *Construire la formation*, ESF éditeur, Paris, 1991.

CHARBONNEL N., *L'impossible pensée de l'éducation*, Delval, Fribourg, Suisse, 1987.

CHEVALLARD Y, *Remarques sur la notion de contrat didactique*, IREM d'Aix-Marseille, 1983.

CLAPAREDE E., *Morale et politique ou les vacances de la probité*, La Baconnière, Neuchâtel, Suisse, 1974.

COHEN R., *Plaidoyer pour les apprentissages précoces*, PUF, Paris, 1982.

CONCHE M., *Orientation philosophique*, PUF, Paris, 1990.

DEFRANCE B., *La violence à l'école*, Syros, Paris, 1988.

DEFRANCE B., *Les parents, les profs et l'école*, Syros, Paris, 1990.

DESCARTES, *Oeuvres et lettres*, Gallimard, collection « La Pléiade », Paris, 1966.

DI LORENZO G., *Questions de savoir*, ESF éditeur, Paris, 1991.

DUBORGEL B., *Imaginaires à l'œuvre*, Greco, Paris, 1989.
DUPUIS P.-A., *Eduquer, une longue histoire*, Presses universitaires de Strasbourg, 1990.
ECO U., *Lector in fabula*, Grasset, Paris, 1985.
FEYERABEND P., *Adieu la raison*, Le Seuil, Paris, 1989.
FILLOUX J., *Du contrat pédagogique*, Dunod, Paris, 1975.
FINKIELKRAUT A., *La défaite de la pensée*, Gallimard, Paris, 1987.
FREIRE P., *Pédagogie des opprimés*, Maspero, Paris, 1965.
de LA GARANDERIE A., *Les profils pédagogiques*, Le Centurion, Paris, 1980.
GAZZANIGA M., *Le cerveau social*, Laffont, Paris, 1987.
GOMBROWICZ W., *Ferdydurke*, C. Bourgois, collection 10/18, Paris, 1977.
HABERMAS J., *Théorie de l'agir communicationnel*, 2 volumes, Fayard, Paris, 1987.
HABERMAS J., *Morale et communication*, Le Cerf, Paris, 1987.
HADJI C., *L'évaluation, règles du jeu*, ESF, Paris, 1989.
HAMELINE D., DARDELIN M.-J., *La liberté d'apprendre — situation 2*, Editions ouvrières, Paris, 1977.
HAMELINE D., *Le domestique et l'affranchi*, Editions ouvrières, Paris, 1977.
HAMELINE D, « Le praticien, l'expert et le militant », dans BOUTINET J.-P., *Du discours à l'action*, L'Harmattan, Paris, 1985.
HAMELINE D., *Les objectifs pédagogiques*, 8e édition, ESF, Paris, 1990.
HENRY, *La barbarie*, Grasset, Biblio, Paris, 1987.
HESSE H., *L'ornière*, Calmann-Lévy, Paris, 1972.
HUXLEY A., *Le meilleur des mondes*, Presses-Pocket, Paris, 1986.
IMBERT F., *Si tu pouvais changer l'école*, Le Centurion, Paris, 1983.
IMBERT F., *La question de l'éthique dans le champ éducatif*, Matrice, Vigneux, 1987.
IMBERT F., *L'Emile ou l'interdit de la jouissance*, Armand Colin, Paris, 1989.
IONESCO , *La leçon*, Gallimard, collection « Folio », Paris, 1972.
JANKELEVITCH V., *Le paradoxe de la morale*, Le Seuil, Paris, 1981.
JANKELEVITCH V., « Avec l'âme toute entière », *Bulletin de la Société Française de Philosophie*, 1960, 54, 1.
JOULE R.-V. et BEAUVOIS J. L., *Petit traité de manipulation à l'usage des honnêtes gens*, PUG, Grenoble, 1988.
JULIEN P., *Le manteau de Noë, Essai sur la paternité*, Desclée de Brouwer, Paris, 1991.
KAHN P. et al., *L'éducation, approches philosophiques*, PUF, Paris, 1990.
KANT, *Critique de la raison pure*, PUF, Paris, 1950.
KINTZLER C., *Condorcet, l'instruction publique et la naissance du citoyen*, Gallimard, collection « Folio », Paris, 1987.
LADMIRAL J.-R. et LIPIANSKY E.-M., *La communication interculturelle*, Armand Colin, Paris, 1989.
LATREILLE G., *Les chemins de l'orientation professionnelle*, PUL, Lyon, 1984.
LECLAIRE S., *On tue un enfant*, Le Seuil, collection « Points », Paris, 1981.
LEVINAS E., *Entre-nous, Essais sur le penser-à-l'autre*, Grasset, Paris, 1991.
LEVINAS E., *Ethique et infini*, Fayard, Biblio, Paris, 1982.

LEVINAS E., *Totalité et infini*, Nijhoff, The Hague, 1984.
LEVI-STRAUSS C., *La pensée sauvage*, Plon, Paris, 1962.
MARC P., *Autour de la notion pédagogique d'attente*, Peter Lang, Berne et Francfort, 1985.
MAURIAC F., *Le sagouin*, Presses-Pocket, Paris, 1977.
MEIRIEU P., *Apprendre en groupe ?*, 2 tomes, 3e édition, Chronique Sociale, Lyon, 1989.
MEIRIEU P., *L'école, mode d'emploi*, 6e édition, ESF éditeur, Paris, 1991.
MEIRIEU P., *Apprendre, oui... mais comment*, 7e édition, ESF éditeur, Paris, 1991.
MEIRIEU P., *Enseigner, scénario pour un métier nouveau*, 3e édition, ESF éditeur, Paris, 1990.
MONTEIL J.-M., *Eduquer et former*, PUG, Grenoble, 1989.
MONTHERLANT, *La ville dont le prince est un enfant*, Gallimard, collection « Folio », Paris, 1973.
MOREAU P., *L'éducation morale chez Kant*, Le Cerf, Paris, 1986.
MORIN E., *Pour sortir du XXe siècle*, Le Seuil, collection « Points », Paris, 1981.
NEILL A. S., *Libres enfants de Summerhill*, Maspero, Paris, 1972.
NEMO P., *L'homme structural*, Grasset, Paris, 1975.
OURY F. et POCHET C., *Qui c'est l'conseil ?*, Maspero, Paris, 1977.
OURY F. et POCHET C, *L'année dernière j'étais mort*, Matrice, Vigneux, 1986.
de PERETTI A., *Pensée et vérité de Carl Rogers*, Privat, Toulouse, 1974.
PERRET-CLERMONT A.-N., *La construction de l'intelligence dans l'interaction sociale*, Peter Lang, Berne et Francfort, 1979.
PERRET-CLERMONT A.-N. (sous la direction de), *Interagir et connaître*, Delval, Fribourg, Suisse, 1987.
PESTALOZZI, *Lettre de Stans* (1799), Editions du centre de documentation et de recherches Pestalozzi, Yverdon, Suisse, 1985.
POPPER K. et LORENZ K., *L'avenir est ouvert*, Flammarion, Paris 1990.
POPPER K., *La logique de la découverte scientifique*, Payot, Paris, 1987.
PRIGENT Y, *L'existence amoureuse, la passion et la durée*, Desclée de Brouwer, Paris, 1990.
RANCIERE J., *Le maître ignorant*, Fayard, Paris, 1987.
REBOUL O., *L'endoctrinement*, PUF, Paris, 1977.
REBOUL O., *La philosophie de l'éducation*, PUF, Paris, 1977.
REBOUL O., *La philosophie de l'éducation*, PUF, collection « Que-sais-je ? », Paris, 1989.
RICHARD J. F, *Les activités mentales*, Armand Colin, Paris, 1990.
RICOEUR P., *Soi-même comme un autre*, Le Seuil, Paris, 1990.
ROGERS C., *Liberté pour apprendre ?*, Dunod, Paris, 1974.
ROSENTHAL R.-A. et JACOBSON L., *Pygmalion à l'école*, Casterman, Paris, 1973.
ROUSSEAU, *Emile ou de l'éducation* (1762), Garnier-Flammarion, Paris, 1966.
RUEFF-ESCOUBES C., MOREAU J.-F., *La démocratie à l'école*, Syros, Paris, 1985.

SCHLANGERS J., STENGERS I., *Les concepts scientifiques*, La Découverte, Paris, 1989.
SCHNEUWLY B., BRONCKART J. P., *Vygotsky aujourd'hui*, Delachaux et Niestlé, Neuchâtel et Paris, 1989.
SKINNER B. F., *La révolution scientifique dans l'enseignement*, Dessart, Bruxelles, 1968.
SOETARD M., *Pestalozzi ou la naissance de l'éducateur*, Peter Lang, Berne et Francfort, 1981.
SOETARD M., *Friedrich Frobel, pédagogie et vie*, Armand Colin, Paris, 1990.
TERRASSIER J.-C., *Les enfants surdoués*, ESF éditeur, Paris, 1989.
THIERRY A., *L'homme en proie aux enfants*, Magnard, Paris, 1986.
VALERY, *Œuvres*, tome 1, Gallimard, collection « La Pléiade », Paris, 1968.
VARELA F., *Connaître*, Le Seuil, Paris, 1989.
VYGOTSKY, *Pensée et langage*, Editions sociales, Paris, 1985.
WIRTHNER M., MARTIN D., PERRENOUD Ph., *Parole libérée, parole étouffée*, Delachaux et Niestlé, Neuchâtel et Paris, 1991.
ZWEIG S., *La confusion des sentiments*, Stock, Paris, 1990.

Index des notes critiques et commentaires

On trouvera ci-dessous, en face de chaque nom d'auteur, le numéro des chapitres dans lesquels l'auteur est cité.

ALAIN : 6
ARDOINO J. : 8
ARENDT H. : 11
ASTOLFI J. P. : 22
AUGUSTIN Saint : 12, 19
BAIETTO M. C. : 2
BALION R. : 11
BARBIANA (enfants de) : 3
BAUDRILLARD J. : 15
BEAUVOIS J. L. : 30
BEILLEROT J. : 11
BERBAUM J. : 24
BERGSON H. : 25
BIJEAULT J. P. : 2
BION W.R. : 9
BROUSSEAU G. : 19
CASTORIADIS C. : 26
C.E.P.E.C. : 24
CHARBONNEL N. : 1
CHEVAL (facteur) : 17
CHEVALLARD Y. : 19, 22
CLAPAREDE E. : 26
COHEN R. : 3
CONCHE M. : 8
DEFRANCE B. : 28
DESCARTES : 10
DEVELAY M. : 22
DI LORENZO G. : 22
DUBORGEL B. : 14
DUPUIS P. A. : avant-propos
DURKHEIM E. : 11
ECO U. : avant-propos
FEYERABEND P. : 14
FILLOUX J. : 19
FINKIELKRAUT A. : 14
FREIRE P. : 20
FROBEL F. : 2
La GARANDERIE A. : 21
GAZZANIGA M. : 23
GOMBROWICZ W. : 11
GRAMSCI : 6
HABERMAS J. : 14, 26
HADJI C. : 31
HAMELINE D. : 11, 15, 17, 23, 28
HENRI M. : 14
HESSE H. : 9
HUXLEY A. : 18
IMBERT F. : 2, 13, 16, 20
IONESCO E. : 2
JACOBSON L. : 6
JANKELEVITCH V. : 8, 27, envoi
JOHSUA M. A. : 22
JOULE R. V. : 30
JULIEN P. : 17
KAHN P. : 10
KANT : 23
KINTZLER C. : 14
LADMIRAL J. R. : 26
LATREILLE G. : 1
LECLAIRE S. : 9
LEVINAS E. : 8, 19, 21, 28
LEVI-STRAUSS C. : 17
LIPIANSKY E. M. : 26
MARC P. : 6
MARTIN D. : 24
MAURIAC F. : 31

MONTEIL J. M. : 3
MONTHERLANT : 7
MOREAU J. P. : 26
MOREAU P. : 12
MORIN E. : 32
NEILL A. S. : 12
NEMO P. : 21
OURY F. : 20, 26, 28
OUZOULIAS A. : 10
PERRENOUD P. : 24
de PERETTI A. : 15
PERRET-CLERMONT A. N. : 17, 19, 20
PESTALOZZI : 12
PIAGET J. : 24
POCHET C. : 20, 26, 28
POPPER K. : 2, 30
PRIGENT Y. : 32
RANCIERE J. : 4, 14
REBOUL O. : 11, 23
RICHARD J. F. : 22
RICOEUR P. : avant-propos, 26
ROGERS C. : 15
ROSENTHAL R. A. : 6
ROUSSEAU : 25
RUEFF-ESCOUBES C. : 26
SCHLANGER J. : 24
SKINNER J. B. : 18
SNYDERS G. : 22
SOETARD M. : 2, 12
STENGERS I. : 24
TERRASSIER J. C. : 3
TERRIER G. : 2
THIERRY A. : 10
VALERY P. : 26
VARELA F. : 24
VYGOTSKY : 18, 22
WIRTHNER M. : 24
ZWEIG S. : 9

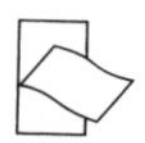

Achevé d'imprimer sur les presses
de l'imprimerie Darantiere à Dijon-Quetigny
en octobre 1991

Dépôt légal : 4e trimestre 1991
N° d'édition : 1921 ED 1721